Gerard McBurney
from Vera Prokhorova
Summer 1993

РУССКИЙ РИСОВАННЫЙ ЛУБОК

LOUBOK- RUSSIAN POPULAR PRINTS

LOUBOK–
RUSSIAN POPULAR PRINTS
FROM THE LATE 18TH–EARLY 20TH CENTURIES

From the Collection
of the State
Historical
Museum
Moscow

MOSCOW
· RUSSKAYA KNIGA ·
1992

РУССКИЙ РИСОВАННЫЙ ЛУБОК КОНЦА XVIII– НАЧАЛА XX ВЕКА

Из собрания
Государственного
Исторического
музея
Москва

МОСКВА
· РУССКАЯ КНИГА ·
1992

Составитель и автор текста
кандидат искусствоведения Е. И. ИТКИНА

Макет и оформление В. В. САВЧЕНКО

Фотосъемка Б. Б. ЗВЕРЕВА

Перевод на английский язык В. Л. АЛЕШИНОЙ

И $\frac{4911020000-049}{М-105(03)92}$ 126—91

ISBN 5-268-01386-6

Рисованный лубок — одна из разновидностей народного изобразительного искусства. Его возникновение и широкое бытование приходится на сравнительно поздний период истории народного творчества — середину XVIII и XIX век, когда многие другие виды изобразительного народного искусства — роспись по дереву, книжная миниатюра, печатный графический лубок — уже прошли определенный путь развития.

В историко-культурологическом аспекте рисованный лубок представляет собой одну из ипостасей народного изобразительного примитива, стоящую в близком ряду с такими видами творчества, как живописный и гравированный лубок, с одной стороны, и с росписью на прялках, сундуках и искусством украшения рукописных книг — с другой. В нем аккумулировались идеальные начала фольклорного эстетического сознания, высокая культура древнерусской миниатюры, лубочная изобразительность, базирующаяся на принципах наивно-примитивного творчества.

Рисованный лубок — сравнительно мало изученная линия развития народного творчества XVIII—XIX веков. До недавнего времени о рисованном лубке в литературе не было почти никаких упоминаний. Поэтому знакомство с ним не может не представлять интереса для знатоков и любителей народного искусства.

Рисованный лубок не был предметом специального коллекционирования, он довольно редок в библиотечных и музейных собраниях. Государственный Исторический музей располагает значительной коллекцией этого редкого вида памятников (152 предмета по каталогу). Она сформировалась из листов, поступивших в 1905 году в составе собраний таких известных любителей русской старины, как П. И. Щукин и А. П. Бахрушин. В начале 1920-х годов Исторический музей покупал отдельные картинки у собирателей, частных лиц и «на торгу». В 1928 году часть листов была привезена историко-бытовой экспедицией из Вологодской области. Коллекция Государственного Исторического музея может дать полное представление о художественных особенностях рисованного лубка и отразить основные этапы его развития.

Что же представляет собой искусство рисованных народных картинок, где оно возникло и развивалось? Техника исполнения рисованного лубка своеобразна. Настенные листы исполнялись жидкой темперой, нанесенной по легкому карандашному рисунку, следы которого заметны только там, где он впоследствии не был стерт. Мастера пользовались красками, разведенными на яичной эмульсии или камеди (клейкие вещества различных растений). Как известно, живописные возможности темперы весьма широки и при сильном разведении она позволяет работать в технике прозрачной живописи с просвечивающими слоями, подобно акварели.

В отличие от массового печатного лубка рисованный лубок исполнялся мастерами с начала и до конца от руки. Нанесение рисунка, его раскраска, написание заглавий и пояснительных текстов — все производилось ручным способом, придавая каждому произведению импровизационную неповторимость. Рисованные картинки поражают яркостью, красотой рисунка, гармонией цветовых сочетаний, высокой орнаментальной культурой.

Рисовальщики настенных листов, как правило, были тесно связаны с кругом народных мастеров, которые хранили и развивали древнерусские традиции — с иконописцами, художниками-миниатюристами, переписчиками книг. Из этого контингента и формировались по большей части художники рисованного лубка. Местами производства и бытования лубочных картинок нередко были старообрядческие монастыри, северные и подмосковные деревни, сберегавшие древнюю русскую рукописную и иконописную традиции.

Рисованный лубок не имел такого широкого распространения, как печатные гравированные или литографированные картинки, он значительно более локален. Производство рисованных настенных листов было сосредоточено по большей части на севере России — в Олонецкой, Вологодской губерниях, в отдельных районах по Северной Двине, Печоре. Одновременно рисованный лубок существовал в Подмосковье, в частности в Гуслицах, и в самой Москве. Имелось несколько центров, где в XVIII и особенно в XIX веке процветало искусство рисованного лубка. Это Выго-Лексинский монастырь и прилегавшие к нему скиты (Карелия), район Верхней Тоймы на Северной Двине, Кадниковский и Тотемский районы Вологодской области, Великопоженское общежительство на реке Пижме (Усть-Цильма), Гуслицы в Орехово-Зуевском районе Подмосковья. Возможно, были и другие места производства рисованных картинок, но в настоящее время они неизвестны.

Начало искусству рисованного лубка положили старообрядцы. У идеологов старообрядчества в конце XVII — начале XVIII века существовала настоятельная потребность в разработке и популяризации определенных идей и сюжетов, обосновывавших приверженность «старой вере», удовлетворить которую можно было не только перепиской старообрядческих сочинений, но и наглядными способами передачи информации. Именно в старообрядческом Выго-Лексинском общежительстве были сделаны первые шаги по изготовлению и распространению настенных картинок религиозно-нравственного содержания. Деятельность Выго-Лексинского монастыря представляет собой интереснейшую страницу русской истории[1]. Коротко напомним о ней.

После церковной реформы патриарха Никона несогласные с ним «ревнители древлего благочестия», среди которых были представители разных слоев населения, преимущественно крестьяне, бежали на Север, некоторые стали селиться по реке Выгу (бывш. Олонецкая губерния). Новые жители вырубали лес, жгли его, расчищали пашни и сеяли на них хлеб. В 1694 году из обосновавшихся на Выге переселенцев образовалась община во главе с Даниилом Викуловым. Первая поморская община скитско-монастырского типа была в своем начале наиболее радикальной организацией беспоповского толка, отвергавшей браки, молитву за царя, пропагандировавшей идеи социального равенства на религиозных началах. Выговское общежительсто долгое время оставалось для всего поморского старообрядчества высшим авторитетом в делах веры и религиозно-общественного устройства. Деятельность братьев Андрея и Семена Денисовых, бывших настоятелями (киновиархами) монастыря (первый — в 1703—1730 гг., второй — в 1730—1741 гг.), носила исключительно широкий организационный и просветительский характер.

В монастыре, принимавшем массу переселенцев, Денисовы устроили школы для взрослых и детей, куда впоследствии стали привозить учеников из других мест, поддерживавших раскол. Кроме школ грамотности, в 1720—1730-х годах были заведены специальные школы для писцов рукописных книг, школа певчих, здесь готовили иконописцев для изготовления икон в «старом» духе. Выговцы собрали богатейшую коллекцию древних рукописей и старопечатных книг, где были сочинения богослужебные и философские, по грамматике и риторике, хронографы и летописцы. В Выговском общежительстве выработалась собственная литературная школа, ориентирующаяся на эстетические принципы древнерусской литературы.

Братья Денисовы и их сподвижники оставили целый ряд сочинений, где изложены исторические, догматические и нравственные основы старообрядческого учения.

В монастыре процветали ремесла и рукоделие: медное литье посуды, крестов и складней, кожевенное производство, выделка дерева и роспись мебели, плетение берестяных изделий, шитье и вышивание шелком и золотом, изготовление серебряных украшений. Этим занималось и мужское и женское население (в 1706 году женская часть монастыря была переведена на реку Лексу). Примерно столетний период — с середины 1720-х до 1820—1830-х годов — время расцвета хозяйственной и художественной жизни Выговского монастыря. Дальше наступила полоса постепенного упадка. Преследование раскола и попытки его искоренения, репрессии, усилившиеся в период царствования Николая I, окончились разорением и закрытием монастыря в 1857 году. Все моленные были опечатаны, книги и иконы вывезены, оставшиеся жители выселены. Так перестал существовать центр грамотности большого северного края, центр развития земледелия, торговли и своеобразного народного искусства.

Другой старообрядческой общиной, игравшей сходную культурно-просветительскую роль на Севере, был Великопоженский скит, возникший около 1715 года на Печоре, в районе Усть-Цильмы, и просуществовавший до 1854 года[2]. Внутреннее устройство Великопоженского общежительства основывалось на поморско-выговском уставе. Оно вело довольно значительную хозяйственную деятельность, основой которой были хлебопашество и рыбный промысел. Монастырь являлся средоточием древнерусской книжности и грамотности: крестьянских детей обучали чтению, письму, переписке книг. Здесь занимались и рисованием настенных листов, что было, как правило, уделом женской части населения[3].

Известно, что в XVIII—XIX веках население всего Севера, в особенности крестьянство, было сильно подвержено влиянию старообрядческой идеологии. Этому немало способствовала активная деятельность Выго-Лексинского и Усть-Цилемского монастырей.

Немало мест, державшихся «старой веры», существовало в Прибалтике, Поволжье, Сибири, в средней России. Одним из центров сосредоточения старообрядческого населения, давших русской культуре интересные художественные произведения, были Гуслицы. Гуслицы — старинное название подмосковной местности, получившей наименование по реке Гуслице, притоке Нерской, впадающей в Москву-реку. Здесь в конце XVII — начале XVIII века селились беглые старообрядцы поповского согласия (т. е. признававшие священство). В гуслицких деревнях в XVIII—XIX веках были развиты иконописный, меднолитейный, деревообрабатывающий промыслы. Широкое распространение получило искусство переписки и украшения книг, здесь даже выработался свой особый стиль орнаментации рукописей, значительно отличающийся (как и содержание книг) от северного поморского. В Гуслицах сложился своеобразный очаг народного изобразительного творчества, большое место в нем заняло производство рисованных настенных картинок.

Зарождение и распространение в среде старообрядческого населения Севера и центра России искусства рисованных листов религиозно-нравственного содержания можно трактовать как своего рода ответ на определенный «социальный заказ», если применить современную терминологию. Просветительские задачи, потребность в наглядной апологетике способствовали поискам соответствующей формы. В народном искусстве уже существовали апробированные образцы произведений, которые могли удовлетворить эти нужды,— лубочные картинки. Синкретический характер лубочных народных картинок, соединяющих в себе изображение и текст, специфика их образного строя, впитавшая жанровую трактовку традиционных для древнерусского искусства сюжетов, как нельзя более соответствовала тем целям, которые поначалу вставали перед старообрядческими мастерами.

Иногда художники прямо заимствовали те или иные сюжеты из печатного лубка, приспосабливая их для своих целей. Все заимствования относятся к поучительно-нравственным сюжетам, каких немало было в гравированных народных картинках XVIII—XIX веков.

* * *

Что же представлял в целом рисованный лубок по содержанию, каковы его отличительные особенности? Тематика рисованных картинок весьма разнообразна. Есть листы, посвященные историческому прошлому России, например Куликовской битве, портреты деятелей раскола и изображения старообрядческих монастырей, иллюстрации к апокрифам на библейские и евангельские сюжеты, иллюстрации к рассказам и притчам из литературных сборников, картинки, предназначенные для чтения и песнопений, настенные календари-святцы.

Картинки, имеющие отношение к истории старообрядчества, виды монастырей, портреты расколоучителей, сравнительные изображения «старой и новой» церквей составляют довольно значительную группу. Интересны изображения Выго-Лексинского монастыря, нередко включавшиеся художниками в сложную композицию больших картинок. На листах «Родословное дерево А. и С. Денисовых» (кат. 3), «Поклонение иконе Богоматери» (кат. 100) даны подробные изображения мужского и женского монастырей, расположенных соответственно на берегах Выга и Лексы. Скрупулезно выписаны все деревянные строения — жилые кельи, трапезные, больницы, колокольни и т. д. Тщательность рисунков позволяет рассмотреть все особенности архитектурной планировки, традиционную конструкцию северных домов с двускатными щипцовыми кровлями, высокие крытые крыльца изб, луковичные главки часовен, шатровые завершения колоколен... Над каждым зданием проставлены цифры, разъясненные в нижней части картинок — «кузьня», «грамотная», «поварня», что дает возможность получить полное представление о планировке монастырей и расположении всех его хозяйственных служб.

На «Родословном дереве А. и С. Денисовых» вид монастыря занимает лишь нижнюю часть листа. Остальное пространство отдано изображению условного генеалогического древа, на ветвях которого в орнаментальных круглых рамках — портреты предков рода Денисовых-Вторушиных, восходящих к князю Мышецкому, и первых настоятелей общежительства. Сюжеты с «учительным древом», где представлены братья Денисовы и их единомышленники, были очень популярны у художников рисованного лубка.

Портреты основателей и настоятелей Выговского монастыря известны не только в вариантах родословного древа, но существуют самостоятельно — индивидуальные, парные, групповые. Самым распространенным типом изображений старообрядческих наставников, будь то единичный или групповой портрет, является тот, где каждый «старец» представлен со свитком в руке, на котором написаны слова соответствующего изречения. Но их нельзя считать портретами в общепринятом смысле слова. Они выполнены очень условно, по единому канону. Все поморские учителя изображались плоскостно, строго фронтально, в одинаковых позах, со схожим положением рук. Волосы и длинные бороды переданы также в единой манере.

Но несмотря на следование выработавшейся канонической форме, художники умели передать индивидуальные черты персонажей. Они не только узнаваемы, но и соответствуют тем описаниям их внешности, которые дошли до нас в литературных источниках. Например, у Андрея Денисова на всех рисунках прямой удлиненный нос, пышные волосы, вьющиеся ровными кольцами вокруг лба, широкая окладистая борода (кат. 96, 97).

Парные портреты, как правило, выполнены по единой схеме — они заключены в овальные рамки, соединенные между собой характерным орнаментальным украшением барочного типа. На одном из таких портретов представлены Никифор Семенов, киновиарх Выговского монастыря с 1759 по 1774 год, и Семен Титов, о котором известно, что он был учителем в женской части монастыря (кат. 1). Особым типом групповых изображений являлись размещенные в ряд фигуры на склеенных из отдельных листов длинных полосах бумаги (кат. 53, 54). Эти листы, вероятно, предназначались для развески в больших помещениях.

Значительное количество работ посвящено обрядности «старой» и «новой» церкви и правильности крестного знамения. Картинки построены по принципу противопоставления «староросийской церкви предания» и «Никонова предания». Художники обычно делили лист на две части и показывали отличия в изображении голгофского креста, патриаршего жезла, способа перстосложения, печатей на просфорах, то есть того, в чем расходились старообрядцы с последователями реформы Никона (кат. 61, 102). Иногда рисунки делались не на одном, а на двух парных листах (кат. 5, 6). Некоторые мастера жанризировали подобные изображения — показывали в интерьере храма священников и публику, придавали разный облик людям, состоящим на службе в «старой» и «новой» церкви (кат. 103). Одни одеты в старинное русское платье, другие — в короткие новомодные фраки и узкие панталоны.

К событиям, связанным с историей старообрядческого движения, принадлежат и сюжеты, посвященные соловецкому восстанию 1668—1676 годов — выступлению монахов Соловецкого монастыря против реформы патриарха Никона, против ведения службы по новым исправленным книгам, вылившемуся в ходе борьбы в антифеодальное народное восстание. Соловецкое «сидение», на протяжении которого монастырь оказывал сопротивление осадившим его царским войскам, продолжалось восемь лет и закончилось его разгромом. Взятие Соловецкого монастыря воеводой Мещериновым и расправа с непокорными монахами после сдачи крепости нашли отражение в целом ряде настенных картинок, две из которых хранятся в Историческом музее (кат. 88, 94). Датировка листов свидетельствует, что сюжет привлекал внимание художников и в начале, и в конце XIX века, так же как на протяжении этого времени не иссякал интерес к книге С. Денисова «История об отцех и страдальцех соловецких» (1730-е гг.), послужившей основой и источником для написания этих картинок.

На листе, выполненном в начале XIX столетия, рисунок построен по принципу последовательного рассказа. Каждый эпизод сопровождается краткой или пространной пояснительной надписью. Художник показывает обстрел монастыря из трех пушек, которые «сташа бити по обители боем огненным денно же и нощно», штурм стрельцами крепости, выход оставшихся в живых монахов из ворот монастыря навстречу Мещеринову с иконой и крестами в надежде на его милость, жестокую расправу с участниками восстания — виселицу, мучения игумена и келаря, замороженных во льду иноков, болезнь царя Алексея Михайловича и отправку гонца с письмом к Мещеринову о прекращении осады, встречу царского и мещериновского гонцов у «града Вологды». В центре листа — крупная фигура с поднятой саблей в правой руке: «Воевода царской Иван Мещеринов». Это главный носитель зла, он выделен и масштабом, и суровой застылостью позы. Сознательное привнесение автором картинки оценочных моментов заметно в трактовке не только воеводы Мещеринова, но и других персонажей. Художник сочувствует замученным защитникам соловецкой крепости, показывает их непреклонность: даже на виселице двое из них сжимают пальцы в двуперстном знамении. С другой стороны, он явно шаржирует облик стрелецких солдат, участвовавших в подавлении восстания, о чем свидетельствуют шутовские колпаки на их головах вместо военных уборов.

Но эмоциональная насыщенность сюжета не заслоняет задачу создания художественно организованной картинки. В композиционно-декоративном построении листа в целом ощущается традиция ритмизированного лубочного узорочья. Пространство между отдельными эпизодами художник заполняет изображениями произвольно разбросанных цветов, кустов, деревьев, исполненных в типичной украшательской манере народных картинок.

Всестороннее исследование данного рисунка позволяет высказать предположение, основанное на аналогии с подписными произведениями, об имени автора и месте создания. По всей вероятности, над лубком работал художник-миниатюрист Микола Васильевич Григорьев, связанный с одной из старообрядческих мастерских по переписке книг в Москве[4].

Сюжеты, имеющие отношение к конкретным историческим событиям прошлого России, в рисованном лубке — большая редкость. К их числу относится уникальная настенная картинка художника И. Г. Блинова, изображающая битву на Куликовом поле в 1380 году (кат. 93). Это самый большой по размерам лист среди всех дошедших до нас — его длина 276 сантиметров. В нижней части художник написал целиком текст «Сказания о Мамаевом побоище» — известную рукописную повесть, а наверху разместил иллюстрации к ней.

Начинается картинка сценами сбора русских князей, съезжающихся к Москве по зову великого князя Дмитрия Ивановича, чтобы дать отпор несметным полчищам Мамая, наступающим на Русскую землю. Наверху изображен Московский Кремль, в воротах толпится народ, провожающий в поход русское войско. Движутся стройные ряды полков, возглавляемые своими князьями. Отдельные компактные группы всадников должны дать представление о многолюдной рати.

От Москвы войска идут к Коломне, где был проведен смотр — «устроение» полков. Город окружен высокой красной стеной с башнями, он виден как бы с птичьего полета. Художник придал контуру построенных войск форму неправильного четырехугольника, повторяющего в зеркальном отражении очертания стен Коломны, добиваясь тем самым замечательного художественного эффекта. В центре фрагмента — воины, держащие знамена, трубачи и великий князь Дмитрий Иванович.

Композиционным центром листа является поединок богатыря Пересвета и великана Челубея, послуживший согласно тексту Сказания прологом Куликовской битвы. Сцена единоборства масштабно выделена, свободно размещена, ее восприятию не мешают другие эпизоды. Художник показывает тот момент схватки, когда скачущие навстречу друг другу всадники столкнулись, осадили коней и изготовили копья для решающего удара. Тут же, чуть ниже, оба богатыря изображены убитыми.

Почти вся правая часть листа занята картиной ожесточенной битвы. Мы видим сбившихся в кучу русских и ордынских всадников, их яростные поединки на конях, воинов с обнаженными саблями, ордынцев, стреляющих из луков. Под ногами коней распростерты тела убитых.

Заканчивается рассказ изображением шатра Мамая, где хан выслушивает сообщения о поражении своих войск. Далее художник рисует Мамая с четырьмя «темниками», скачущих прочь с поля битвы.

В правой части панорамы — Дмитрий Иванович в сопровождении приближенных обходит поле боя, сокрушаясь о великих потерях русских. В тексте говорится, что Дмитрий, «видев множество мертвых любимых своих витязей, нача громко плакатися».

В этом произведении при большой протяженности листа и множестве действующих лиц поражают добросовестность и трудолюбие автора, являющиеся высшей аттестацией мастера. У каждого персонажа тщательно выписаны лицо, одежда, каски, шапки, вооружение. Облик главных героев индивидуализирован. В рисунке исключительно удачно сочетаются народная лубочная традиция с ее условностью, плоскостно-декоративным характером изображения, обобщенностью линий и контуров и приемы древнерусской книжной миниатюры, сказывающиеся в изящных удлиненных пропорциях фигур, в способе раскраски предметов.

В качестве образца И. Г. Блинов использовал для своего произведения, созданного в 1890-х годах, печатный гравированный лубок, выпущенный еще в конце XVIII века, но значительно его переосмыслил, кое-где для большей стройности изложения поменял порядок расположения эпизодов. Колористическое решение листа совершенно самостоятельно.

Случаи переработки печатных тиражных лубков с исторической тематикой носят единичный характер. Можно назвать еще только одну картинку под названием «О хо хо, тяжел русский мужик и кулаком и весом» (кат. 60). Это карикатура на политическую ситуацию 1850—1870-х годов, когда Турция даже вместе со своими союзниками не могла добиться перевеса над Россией. На рисунке изображены весы, на одной доске которых стоит русский мужик, а на другой доске и на перекладине висят многочисленные фигурки турок, французов, англичан, которые всей силой не могут заставить весы опуститься.

Картинка представляет собой перерисовку тиражного литографированного лубка, несколько раз переиздававшегося в 1856—1877 годах. Она почти без изменений повторяет смешные и нелепые позы персонажей, карабкающихся по перекладине и веревкам весов, но здесь заметны переосмысления физиономических характеристик действующих лиц. Русский мужик, например, утратил в рисунке то благообразие, которое придавали ему издатели литографий. Многие персонажи выглядят смешнее и острее, чем в печатных лубках. Обращение к жанру политической карикатуры является редким, но весьма показательным примером, свидетельствующим об определенном интересе ее создателя к общественной тематике и существовании спроса на такого рода произведения.

Переходя от сюжетов, касающихся конкретных исторических событий, к тематике, связанной с иллюстрированием различных притч из учительных и житийных сборников (Патерика, Пролога), сборников типа «Великое зерцало», библейских и евангельских книг, следует сказать, что в народном сознании многие мифы воспринимались как подлинная история, особенно те, что касались сотворения человека, жизни первых людей на земле. Этим объясняется их особая популярность. Многие библейские и евангельские легенды в народном искусстве известны в апокрифических трактовках, обогащенные подробностями и поэтическими толкованиями.

Рисунки, иллюстрирующие историю Адама и Евы, как правило, помещались на больших листах и строились, подобно другим многосюжетным композициям, по принципу рассказа (кат. 8, 9). На одной из картинок изображен рай в виде обнесенного каменной стеной прекрасного сада, в котором растут необычные деревья и гуляют разные животные. Мастер показывает, как создатель вдохнул душу в Адама, сделал из его ребра жену и заповедал им не пробовать плодов с дерева, растущего посреди райского сада. В повествование включены сцены, где Адам и Ева, поддавшись уговорам змея-искусителя, срывают яблоко с запретного дерева, как, изгнанные, уходят они от райских врат, над которыми парит шестикрылый серафим, и сидят перед стеной на камне, оплакивая потерянный рай.

На лубке, рассказывающем об убийстве Каином Авеля, помимо сцены братоубийства, помещены эпизоды, где показаны страдания Каина, посланные ему в наказание за преступление: его мучают черти, бог карает его «трясением» и т. д. (кат. 78).

Если на данном листе соединены разновременные, следующие друг за другом события, то другая картинка, напротив, ограничивается показом одного небольшого сюжета. Здесь иллюстрируется известная легенда о жертвоприношении Авраама, согласно которой бог, решив испытать Авраама, потребовал, чтобы он принес в жертву своего сына (кат. 12). На картинке изображен момент, когда спустившийся на облаке ангел останавливает руку Авраама, занесшего нож.

Евангельских легенд в рисованных картинках значительно меньше, чем библейских. Это объясняется, видимо, тем, что большинство евангельских мифов было воплощено в иконописи, а мастера рисованного лубка сознательно отказывались от того, что могло напоминать икону. В картинках нашли отражение главным образом сюжеты, носящие характер притч.

Особой любовью пользовалась у художников притча о блудном сыне. По бокам одной из картинок расположены эпизоды легенды — уход блудного сына из дома, его развлечения, злоключения, возвращение под отчий кров, а в центре овала — текст духовного стиха на крюковых нотах (кат. 13). Таким образом, эту картинку можно было не только рассматривать, но читать текст и петь его. Крюки — старейшие нотные знаки, обозначающие высоту и долготу звука — частый компонент текстовых листов. Духовный стих о блудном сыне был широко распространен в народной словесности, самым тесным образом связанной с народным изобразительным искусством.

Излюбленными сюжетами рисованного лубка являются

изображения сладкоголосых полуптиц-полудев Сирина и Алконоста. Сюжеты эти имели хождение и в печатных лубках. Выпускались они начиная с середины XVIII века и на протяжении всего XIX столетия. Художники рисованных листов не только повторяли гравированные картинки, используя уже готовую композиционную схему, но и разрабатывали сюжеты с райскими птицами самостоятельно.

К числу вполне оригинальных произведений относятся изображения птицы Сирин в сопровождении легенды, основанной на сведениях, заимствованных из Хронографа. Согласно тексту на листах пение птицедевы так сладостно, что человек, заслышав его, забывает обо всем и идет за ней, не в силах остановиться, пока не умирает от усталости. Художники обычно изображали человека, завороженно слушающего птицу, сидящую на огромном кусте, усеянном цветами и плодами, а чуть ниже — он лежал мертвый на земле. Чтобы прогнать птицу, люди пугают ее шумом: бьют в барабаны, трубят в трубы, стреляют из пушек, на нескольких листах видим колокольни со звенящими колоколами. Испугавшись «необычного шума и звука», Сирин «понуждена бывает к своим возлетати жилищам» (кат. 16, 17, 18).

В рисованных картинках наличествует особое, «книжное», понимание художниками образа птицедевы, не встречающееся в других памятниках народного изобразительного искусства.

Другая райская птица, Алконост, по облику весьма схожа с Сирином, но имеет одно существенное отличие — она всегда изображена с руками. Нередко в руке Алконост держит свиток с изречением о воздаянии в раю за праведную жизнь на земле. По легенде, Алконост своим воздействием на человека близок сладкоголосому Сирину. «Кто во близости ея будет, той все в мире сем позабудет, тогда ум от него отходит и душа его от тела исходит...» — говорится в пояснительном тексте к картинке (кат. 20).

У некоторых исследователей, а также в обыденном сознании сложилось довольно устойчивое представление, что в народном искусстве Сирин — птица радости, а Алконост — птица печали. Это противопоставление неверно, оно не опирается на реальную символику этих образов. Анализ литературных источников, где фигурируют птицедевы, а также многочисленных памятников народного искусства (росписи по дереву, изразцов, вышивок) свидетельствует, что нигде Алконост не трактуется как птица печали. Вероятно, это противопоставление имеет своим истоком картину В. М. Васнецова

«Сирин и Алконост. Песня радости и печали» (1896), на которой художник изобразил двух птиц: одну — черную, другую — светлую, одну — радостную, другую — печальную. Более ранних образцов противопоставления символики Сирина и Алконоста нам не встречалось, и следовательно, можно считать, что оно пошло не от народного, а от профессионального искусства, которое в своем обращении к русской старине использовало образцы народного искусства, не всегда достаточно верно понимая их содержание.

Картинки с назидательными рассказами и притчами из различных литературных сборников занимают большое место в искусстве рисованного лубка. В них трактуются темы нравственного поведения, добродетельных и порочных людских поступков, смысла человеческой жизни, обличаются грехи, рассказывается о муках грешников, жестоко караемых после смерти. Так, «трапеза благочестивых и нечестивых» (кат. 62), «о юношах нерадивом и радивом» (кат. 136) демонстрируют праведное и неправедное поведение людей, где одно вознаграждается, а другое порицается.

Целая серия сюжетов повествует о наказаниях на том свете за большие и малые прегрешения: «Наказание Людвигу ланграфу за грех стяжания» состоит в ввержении его в вечный огонь (кат. 64); грешницу, не раскаявшуюся в «блудодеянии», мучают псы и змеи (кат. 67); «немилостивого человека, любителя века сего» сатана приказывает парить в огненной бане, укладывать на огненное ложе, поить расплавленной серой и т. д. (кат. 63).

В некоторых картинках трактовалась идея искупления и преодоления греховного поведения еще при жизни, восхвалялось нравственное поведение. В этом отношении интересен сюжет «Аптека духовная», к которому неоднократно обращались художники. Смысл притчи, заимствованный из сочинения «Лекарство духовное»,— излечение от грехов с помощью добрых дел — раскрывается в словах врача, который дает приходящему к нему человеку следующие советы: «Прииде и возьми корень послушания и листья терпения, цвет чистоты, плод добрых дел и изотри в котле безмолвия... вкушай лжицею покаяния и, тако сотвориша, будеши совершенно здрав» (кат. 27).

Значительный раздел настенных рисованных картинок составляет группа текстовых листов. Стихи духовно-нравственного содержания, песнопения на крюковых нотах, назидательные поучения, как правило, выполнялись на листах большого формата, имели красочное обрамление, яркие заглавия, текст расцвечивался крупными инициалами, иногда его сопровождали небольшие иллюстрации.

Самыми распространенными были сюжеты с назидательными изречениями, полезными советами, так называемыми «добрыми друзьями» человека. На типичных для этой группы картинках «О добрых друзьях двенадцати» (кат. 31), «Древо разума» (кат. 35) все сентенции или заключены в орнаментированные круги и помещены на изображении дерева, или написаны на широких изогнутых листьях дерева-куста.

Духовные стихи и песнопения часто размещались в овалах в обрамлении из цветочной гирлянды, поднимающейся из вазона или корзины, поставленных на землю (кат. 36, 37). При единой манере и общем для многих листов приеме овального обрамления текстов нельзя найти двух одинаковых гирлянд или венков. Художники варьируют, фантазируют, ищут новые и своеобразные сочетания, добиваясь поистине удивительного разнообразия составляющих овал компонентов.

Сюжеты рисованных настенных картинок обнаруживают определенную близость с тематикой, встречающейся в других видах народного изобразительного искусства. Естественно, больше всего аналогий с гравированными лубками. Количественное сопоставление показывает, что в дошедших до нашего времени рисованных лубочных произведениях сюжеты общие с печатными составляют лишь одну пятую часть. При этом в подавляющем числе случаев наблюдается не прямое копирование определенных композиций, а значительная переделка гравированных оригиналов.

При использовании сюжета тиражного листа мастера всегда вносили в рисунки свое понимание декоративности. Цветовое решение рукописных лубков существенно отличалось от того, что наблюдалось в печатной продукции.

Нам известны лишь два случая обратной зависимости гравированных и рисованных листов: портреты Андрея Денисова и Даниила Викулова были напечатаны в Москве во второй половине XVIII века по рисованным оригиналам.

Настенные листы имеют аналогии и в миниатюрах рукописей. Количество параллельных сюжетов здесь меньше, чем в печатных листах, только в двух случаях очевидна прямая зависимость рукописного лубка от миниатюры. Во всех остальных наблюдается самостоятельный подход к решению одних и тех же тем. Иногда можно установить общую традицию воплощения отдельных образов, хорошо известную миниатюристам XVIII—XIX веков и мастерам рисованного лубка, например в иллюстрациях к Апокалипсису или в портретах старообрядческих учителей, чем и объясняется их сходство.

Несколько общих мотивов с рисованными картинками, например легенда о птице Сирин, известны в росписи мебели XVIII—XIX веков, вышедшей из мастерских Выго-Лексинского монастыря[5]. В данном случае имело место прямое перенесение композиции рисунков на дверцы шкафчиков.

Все выявленные случаи общих и заимствованных сюжетов ни в коей мере не могут заслонить подавляющего числа самостоятельных художественных разработок в рисованном лубке. Даже в интерпретации нравоучительных притч, наиболее разработанного жанра, мастера по большей части следовали своим путем, создав много новых выразительных и богатых по образному содержанию произведений. Можно считать, что тематика рисованного лубка достаточно оригинальна и свидетельствует о широте интересов его мастеров, о творческом подходе к воплощению многих тем.

* * *

Для характеристики рисованного лубка весьма существенным является вопрос датировки. Специальное изучение времени создания отдельных листов позволяет уточнить и полнее представить картину их возникновения, степень распространенности в тот или иной период, определить время функционирования отдельных художественных центров.

На некоторых картинках имеются надписи, прямо указывающие дату изготовления, например: «Сей лист писан 1826 года» (кат. 4) или «Написана сия картина 1840 года февраля 22 числа» (кат. 142). Большую помощь при датировке, как известно, может оказать наличие водяных знаков на бумаге. По филиграням бумаги устанавливается граница создания произведения, ранее которой оно не могло бы появиться.

Даты на листах и водяные знаки свидетельствуют, что самые старшие из дошедших до нас картинок датируются 1750—1760-ми годами. Правда, таких очень немного. На 1790-е годы приходится уже больше рисунков. Датировка самых ранних сохранившихся картинок серединой XVIII века не означает, что до этого времени настенных листов вовсе не существовало. Известен, например, уникальный рисунок XVII века с изображением стрелецкого войска, отправляющегося на лодках для подавления восстания Степана Разина[6]. Но

For official use */Reserve usage officiel/Para uso oficial/Nür für den Dienstgebrauch*

Passport No ....

Date/place of issue/expires ....

E. C. endorsed .... Issued at .... On ....

Arrived from .... Flight/Ship .... At ....

.ANDING CARD
mmigration Act 1971

Please complete clearly in ***BLOCK CAPITALS*** *Por favor completar claramente en MAYUSCULAS*
Veuillez remplir lisiblement en LETTRES MAJUSCULES Bitte deutlich in DRÜCKSCHRIFT ausfüllen

Family name Nom de famile Apellidos Familienname: Prochorore Vera

Forenames Prenoms Nombre(s) de Pila Vornamen:

Sex Sexe Sexo Geschlecht (M,F):

Date of birth Date de naissance Fecha de nacimiento Geburtsdatum — Day: 26 Month: VI Year: 1938

Place of birth Lieu de naissance Lugar de nacimiento Geburtsort: Russia

Nationality Nationalite Nacionalidad Staatsangehörigkeit: Russian

Occupation Profession Profesion Beruf: Teacher

Address in United Kingdom Adresse en Royaume Uni Direccion en el Reino Unido dresse im Vereinigten Königreich: Cambridge

Signature Firma Unterschrift

NW 964 399

For official use*/Reserve usage officiel/Para uso oficial/Nur für den Dienstgebrauch*

.T	-16	CODE	NAT	POL

IS28FGS

это случай исключительный и лист не носил «лубочного» характера. О налаженном производстве рисованных листов можно говорить только применительно ко второй половине XVIII столетия.

Время наибольшего расцвета искусства рисованного лубка — самый конец XVIII — первая треть XIX века; в середине и второй половине XIX века количество рукописных картинок значительно сокращается и вновь увеличивается лишь в конце XIX — начале XX века. Те выводы, которые следуют из анализа датируемых листов, хорошо согласуются с общей картиной развития искусства рисованного лубка, открывающейся при исследовании отдельных центров его производства.

Большую помощь в изучении рисованного лубка оказывает информация, содержащаяся в надписях на лицевой или оборотной стороне некоторых листов.

Содержание надписей на обороте картинок составляют посвящения, указания на цену листов, пометки для художников. Вот образцы посвящений или дарственных текстов: «Честнейшему Ивану Петровичу от Ирины В. с нижайшим поклоном», «Милостивой государыни Феклы Ивановне» (кат. 17), «Вручить сии святцы Лву Сергеечу и Александре Петровне вкупе обем гостинца» (кат. 38). На обороте трех картинок скорописью проставлена их цена: «гривеник», «осми гривенок» (кат. 62, 63, 65). Эта стоимость, хотя и не очень высокая сама по себе, превышает ту цену, по которой продавались печатные лубочные картинки[7].

Можно узнать и имена художников, работавших над картинками, социальный статус мастеров: «...сия кортина Миркулия Никина» (кат. 136), «Писал Иван Собольщиков» (кат. 82), «Написася сия птица (на картинке с изображением Алконоста.— *Е. И.*) в 1845 году Алексеем Ивановым иконописцем и служителем его Устином Васильевым, иконописцем Авсюниским» (кат. 132).

Но случаи указания имени художника на картинках весьма редки. Большинство листов не имеет никаких подписей. Об авторах рисованного лубка удается узнать немногое, существует лишь несколько примеров, когда сохранились какие-то данные о мастерах. Так, о вологодской художнице Софье Каликиной, чьи рисунки привезла в Исторический музей в 1928 году историко-бытовая экспедиция, кое-что рассказали местные жители, а остальное по крохам выявилось из различных письменных источников. Софья Каликина жила в деревне Гавриловская Тотемского уезда Спасской волости. С раннего возраста вместе со старшим братом Григорием она занималась иллюстрированием рукописей, которые переписывал их отец Иван Афанасьевич Каликин[8]. Рисованные картинки, привезенные в ГИМ, Софья Каликина выполнила в 1905 году, когда ей было примерно десять лет (кат. 66—70). Судя по тому, что ее рисунки висели в избах до 1928 года и люди помнили о том, кто их автор и в каком возрасте она их создала, работы пользовались успехом у тех, для кого исполнялись.

То, что крестьянские старообрядческие семьи, занимаясь перепиской рукописей (а нередко и иконописанием) и рисованием настенных картинок, привлекали к этому детей, известно не только из истории с Софьей Каликиной, но и по другим случаям[9].

Самым ярким из известных в настоящее время примеров сочетания деятельности художника-миниатюриста и мастера лубочных листов представляется творчество И. Г. Блинова (о его картинке «Куликовская битва» рассказывалось выше). Замечательно, что И. Г. Блинов был почти нашим современником, он умер в 1944 году. Деятельность Ивана Гавриловича Блинова — художника, миниатюриста и каллиграфа — позволяет понять типологию образа художника более далекого от нас времени, хотя Блинов и был уже человеком другой формации. Поэтому на ней стоит остановиться подробнее.

Факты биографии И. Г. Блинова можно извлечь из документов, хранящихся в настоящее время в отделе рукописей ГБЛ[10], в ЦГВИА СССР[11] и в отделе рукописей ГИМа[12]. И. Г. Блинов родился в 1872 году в деревне Кудашиха Балахнинского района Нижегородской губернии в семье старообрядцев, приемлющих священство. Долгое время жил на воспитании у деда, в свое время обучавшегося в кельях у иноков «в строгом религиозном духе». Когда мальчику было десять лет, дед начал обучать его чтению перед иконами и ознакомил с погласицей древнерусского пения. С двенадцати лет Блинов начал рисовать самоучкой. Тайком от отца, не одобрявшего увлечение сына, часто по ночам, он осваивал написание букв, различные типы почерков и орнаменты старинных рукописных книг. Блинову было семнадцать лет, когда его работами заинтересовался Г. М. Прянишников, известный собиратель русской старины, державший в своем доме в селе Городце книгописцев, переписывавших для него древние рукописные книги. Блинов много сотрудничал с Прянишниковым и с другим крупным коллекционером, балахнинским купцом П. А. Овчинниковым, выполняя их заказы.

В девятнадцать лет Блинов женился, один за другим родились трое детей, но, несмотря на увеличившиеся хозяйственные обязанности, любимого занятия не оставлял, продолжая совершенствовать мастерство каллиграфа и миниатюриста. Вращаясь в кругу коллекционеров и работая на них, Иван Гаврилович сам начал собирать старинные книги. В 1909 году Блинов был приглашен в Москву в старообрядческую типографию Л. А. Малехонова, где проработал корректором славянского шрифта и художником семь лет. К тому времени в его семье уже было шестеро детей, жена по большей части жила с ними в деревне. Из нескольких сохранившихся писем Ивана Гавриловича к жене и родителям периода службы в типографии явствует, что он посещал многие московские библиотеки — Историческую, Румянцевскую, Синодальную, бывал в Третьяковской галерее; его узнали московские библиофилы и любители старины, давали ему частные заказы на художественное оформление адресов, подносных листов и других бумаг. В свободное время И. Г. Блинов самостоятельно писал тексты и рисовал иллюстрации к некоторым литературным памятникам, например к пушкинской «Песне о вещем Олеге» (1914, хранится в ГИМе) и к «Слову о полку Игореве» (1912, 2 экз. хранятся в ГБЛ).

С 1918—1919 годов начинается тесное сотрудничество художника с Государственным Историческим музеем. Он и раньше приносил и продавал музею свои работы, теперь ему специально заказывали миниатюры к произведениям древнерусской литературы: повестям о Савве Грудцыне[13], о Фроле Скобееве[14], о Горе-злосчастье[15]. В. Н. Щепкин, возглавлявший в то время отдел рукописей музея, ценил искусство Блинова и охотно приобретал его работы.

В ноябре 1919 года Народный комиссариат просвещения по предложению ученой коллегии Исторического музея направил И. Г. Блинова на родину, в Городец, где он принял самое живое участие в собирании предметов старины и в создании местного краеведческого музея. Первые пять лет существования музея — с 1920 по 1925 год — был его директором. Затем материальные обстоятельства заставили Блинова перебраться с семьей в деревню. Единственным оригинальным памятником, выполненным им после возвращения на родину, является сочинение «История Городца» (1937) с иллюстрациями, выдержанными в традициях старинной миниатюры[16].

И. Г. Блинов владел практически всеми типами древних

русских почерков и многими художественными стилями орнамента и украшения рукописей. Некоторые произведения он специально выполнял всеми известными ему разновидностями написаний, как бы демонстрируя широкий диапазон искусства древнего письма.

Отдавая должное каллиграфическому мастерству И. Г. Блинова, нужно иметь в виду, что он всегда оставался стилизатором. Мастер не стремился к полному и абсолютно точному воспроизведению формальных признаков оригинала, а художественно осмысливал главные особенности того или иного стиля и воплощал их в духе искусства своей эпохи. В книгах, оформленных Блиновым, всегда чувствуется рука художника рубежа XIX и XX веков. Его деятельность представляет собой образец глубокого освоения и творческого развития древнерусского книжного искусства. Художник занимался не только копированием и перепиской старинных книг, но выполнял и собственные иллюстрации к литературным памятникам. Важно помнить, что Блинов не был профессиональным художником, его творчество целиком лежит в русле народного искусства.

Наследие И. Г. Блинова — около шестидесяти лицевых рукописей и четыре рисованных настенных листа. Самый интересный — «Куликовская битва» — в полной мере дает представление о масштабе дарования художника. Но творчество его стоит особняком, его нельзя отнести ни к одной из известных в настоящее время школ народного искусства.

Как уже указывалось, большую часть рисованных картинок по их художественным особенностям удается отождествить с определенными центрами. Рассмотрим главные из них.

* * *

Напомним, что родоначальником искусства рисованного лубка был Выговский центр. Поскольку в литературе рукописные книги, выходящие из Выго-Лексинского монастыря, принято называть поморскими, орнаментальный стиль их оформления также именуется поморским, и по отношению к рисованным настенным картинкам Выговского центра правомочно применить данный термин. Это оправдывается не только общим происхождением картинок и рукописей, но и тем стилистическим сходством, которое наблюдается в художественной манере тех и других. Совпадения касаются самого почерка — поморского полуустава, больших киноварных инициалов, украшенных пышными орнаментальными стеблями, и заглавий, выполненных характерной вязью.

Миниатюры и рисованные листы имеют много общего в цветовом решении. Излюбленные сочетания яркого малинового тона с зеленым и золотым были заимствованы художниками настенных картинок у рукописных мастеров. В рисунках встречаются такие же, как в поморских книгах, изображения вазонов с цветами, деревьев с большими круглыми плодами, напоминающими яблоки, каждое из которых непременно раскрашено в два разных цвета, порхающих над деревьями птичек, держащих в клювах веточки с мелкими ягодами, небесного свода с облаками в виде трехлепестковых розеток, солнца и луны с антропоморфными ликами. Большое число прямых совпадений и аналогий позволяет легко выделить картинки этого центра из общей массы рисованного лубка. В собрании Исторического музея удалось определить 42 произведения выговской школы. (Напомним, что коллекция ГИМа насчитывает 152 листа, а общее число выявленных в настоящее время картинок — 412.)

В приемах и орнаментике у мастеров рукописных книг и настенных картинок есть много общего. Но важно обратить внимание на то новое, что привнесли поморские художники в рисование картинки. Большой настенный рисунок воспринимается зрителем по иным законам, нежели книжные миниатюры. Учитывая это, художники заметно обогатили палитру рисунков введением открытого синего цвета, желтого, черного. Мастера добивались уравновешенных и законченных построений листов, учитывая их декоративное назначение в интерьере. Дробность и фрагментарность книжных иллюстраций здесь была неприемлема.

В настенных листах совершенно отсутствует иконописная трактовка «ликов», свойственная миниатюре. Лица персонажей на картинках переданы в чисто лубочной манере. Это касается как портретов реальных лиц, например выговских настоятелей с их типизированной внешностью, так и облика фантастических существ. Так, в сюжетах с Сирином и Алконостом, которые чаруют людей своей красотой и неземным пением, обе птицы неизменно изображались в духе народного фольклорного представления об идеале женской красоты. У птицедев — полные плечи, округлые лица с пухлыми щечками, прямым носиком, соболиными бровями и т. д.

В картинках можно наблюдать характерную гиперболизацию отдельных изобразительных мотивов, что свойственно именно народному лубку. Птички, кусты, плоды, гирлянды цветов из чисто орнаментальных мотивов, каковыми они были в рукописях, превращаются в символы цветущей природы. Они увеличиваются в размерах, достигая иногда неправдоподобно-условной величины, и приобретают самостоятельное, а не только декоративное значение.

Нередко в осмыслении самого сюжета доминирует фольклорный подход, как, например, в картине «Душа чистая и душа грешная» (кат. 23), где противопоставляются добро и зло, где красота торжествует над безобразием. В композиции господствует царственная дева — душа чистая, окруженная праздничным сиянием, а в уголке темной пещеры проливает слезы душа грешная — маленькая жалкая фигурка.

Как видим, искусство поморских настенных картинок, выросшее из недр рукописной миниатюрной традиции, пошло своим путем, освоив лубочную стихию и поэтичность миропонимания народного примитива.

Поморская школа рисованных картинок, несмотря на стилевое единство произведений, не была однородной. Выговские мастера работали в разных манерах, что позволяет выделить несколько отличающихся друг от друга направлений. Одно из них, представленное наибольшим количеством картинок, характеризуется яркостью, праздничностью, наивной лубочной открытостью. На этих рисунках, всегда выполненных на белом незакрашенном фоне яркими мажорными красками, пышно расцветает мир фантастической, сказочной красоты. Так, на картинке, изображающей момент искушения Евы в раю, Адам и Ева помещены у неведомого дерева с пышной кроной и огромными плодами, вокруг них — кусты, сплошь усыпанные цветами, над которыми порхают птицы, над ними голубой плоский небосвод с ровными облачками (кат. 10). Гармонизированная красота доминирует даже в таком, казалось бы, печально-нравоучительном сюжете, как «Смерть праведника и грешника» (кат. 28), где ангелы и черти спорят о душе усопшего и в одном случае ангелы побеждают, а в другом скорбят, побежденные.

Вторая разновидность поморских листов, несмотря на малочисленность, заслуживает отдельного рассмотрения. Картинки этой категории отличаются удивительно изысканной жемчужно-розовой гаммой. Лубки обязательно большого формата, выполнялись на тонированном фоне: лист целиком покрывался серовато-розовой краской, поверх которой наносился рисунок. Здесь применялись белила, которые в сочетании с розовым и серым дают весьма тонкое звучание.

Наиболее характерные листы, выполненные в этой художественной манере,— «Древо разума» (кат. 35) и «Райская птица Сирин» (кат. 16). Оба включают общий для всей поморской школы набор орнаментальных украшений: декоративные кусты с сидящими на них птицами, стилизованные фантастические цветы, двухцветные яблоки, небесный свод с облачками и звездами,— но отличаются тонким изяществом колорита и мастерством исполнения.

Отличительная особенность картинок третьей категории — использование мотива вьющегося акантового листа. Ровные крупные завитки акантового орнамента главенствуют в композиции. Ими украшены, например, «Родословное дерево А. и С. Денисовых» (кат. 3) и «Притча о блудном сыне» (кат. 13). Листья аканта сочетаются с теми же традиционными многолепестковыми цветами, яблоками-кругами, чашечками цветов, как бы наполненными горкой ягóд, сидящими на ветках маленькими птицами Сиринами.

Все помóрские художники, отдавая предпочтение локальной раскраске предметов и деталей орнамента, постоянно прибегали к высветлению и размывке основного тона для создания светотеневого эффекта, для передачи игры складок одежды, для придания объемности предметам.

Рассматривая поморскую школу настенных картинок в целом, можно заметить, что внутри тех направлений, о которых шла речь, встречаются лубочные рисунки и очень высокого уровня исполнения, и более простые, что говорит о широком распространении искусства рисованного лубка, при котором изготовлением листов занимались мастера разной степени подготовленности.

Относительно датировки поморских произведений известно следующее: основная масса картинок была выполнена в 1790—1830-х годах; в 1840—1850-е годы производство их резко снизилось. Это объясняется той волной репрессивных акций, которая обрушилась на Выговский и Лексинский монастыри. Несмотря на закрытие обители, изготовление настенных листов не прекратилось. В тайных деревенских школах в Поморье вплоть до начала XX века продолжалось обучение детей старообрядцев, переписка рукописных книг и копирование настенных картинок.

* * *

Второй центр изготовления рисованных листов на севере

России находился в низовьях Печоры и связан с деятельностью мастеров Великопоженского монастыря. Наличие в нем собственной школы производства рисованных картинок было установлено известным исследователем русской рукописной книжности В. И. Малышевым. В книге «Усть-Цилемские рукописные сборники XVI—XX вв.» он опубликовал рисунок из Великопоженского общежительства, на котором изображены монастырь и два его настоятеля[17].

В. И. Малышев отмечал особенности почерков местных усть-цилемских переписчиков книг, указывал, что печорский полуустав в отличие от своего прототипа — поморского полуустава — гораздо свободнее, менее выписан, не так строен; в инициалах и заставках заметна упрощенность. Основываясь на особенностях почерка и стилистических признаках самих рисунков, к тому рисованному лубочному листу, который Малышев определенно связывал с местной школой, удалось прибавить еще 18. Таким образом, в настоящее время печорская школа насчитывает 19 сохранившихся листов. Видимо, большинство произведений местных мастеров не дошло до нас. В Историческом музее хранится только 2 рисунка этого центра, но и по ним можно охарактеризовать своеобразие печорских картинок.

Если проследить взаимодействие печорской школы рисованного лубка с графическими росписями на предметах прикладного искусства, орудиях труда и охоты пижемского и печорского центров, наиболее близких к местам производства картинок, то обнаружится, что у последних и у росписи по дереву, дошедшей в некоторых местах почти до наших дней в виде росписи ложек[18] с ее особой каллиграфичностью и миниатюрностью, существовали общие истоки.

Ведущая тематика известных нам печорских произведений — портреты выговских киновиархов, учителей и наставников поморского согласия. При полном соблюдении единой иконографической схемы изображения отличаются от тех, что рисовались в самом Выговском монастыре. Они более монументальны, скульптурны в моделировке объемов и подчеркнуто скупы в общем цветовом строе. Некоторые из портретов лишены какого-либо обрамления и предназначались для развески в один ряд: С. Денисова, И. Филиппова, Д. Викулова, М. Петрова и П. Прокопьева (кат. 53, 54). Изображения почти монохромны, целиком выдержаны в серовато-коричневых тонах.

Манера исполнения печорских рисунков строга и проста.

Активную роль в композиции играет контурная силуэтная линия, на которую, при почти полном отсутствии декоративных элементов, ложится основная выразительная нагрузка. Ни яркости, ни нарядности, ни орнаментальной насыщенности выговской традиции здесь нет, хотя некоторые черты, роднящие печорские и поморские картинки, найти все же можно: способ изображения кроны деревьев, травы в виде кустиков-запятых на подковообразном основании.

Анализ лубочных листов печорской школы показывает, что местные художники выработали собственную творческую манеру, в чем-то аскетичную, лишенную нарядности и изысканности, но весьма выразительную. Все сохранившиеся картинки датируются второй половиной XIX — началом XX века. Более ранних памятников мы не знаем, хотя по тому, что известно о деятельности Великопоженского и Усть-Цилемского общежительств, ясно, что они создавались и ранее.

* * *

Третий центр рисованного лубка можно назвать северодвинским и локализовать его в районе бывшего Шенкурского уезда — современные Верхнетоемский и Виноградовский районы. Северодвинские настенные картинки также удалось определить по аналогии с рукописными лицевыми книгами и расписными бытовыми крестьянскими предметами.

Северодвинская рукописная традиция стала выделяться археографами с конца 1950-х годов, активное ее изучение продолжается в настоящее время[19].

Количество сохранившихся памятников этого центра невелико. Исторический музей располагает пятью листами.

Сопоставление настенных картинок с миниатюрами северодвинских рукописей выявляет иногда не только общие художественные мотивы — изображения цветущей ветви-дерева с тюльпанообразными цветами или своеобразной манерой раскраски, а прямое заимствование сюжетов из лицевых рукописей. Таков «Царский путь» (кат. 59), основной смысл которого — в осуждении людей, предающихся мирским радостям — пляскам и играм, плотской любви, пьянству и т. д. Грешников совращают и ведут за собой черти-мурины. Целый ряд эпизодов картинки, в частности сценки, где бесы угощают вином из бочки группу собравшихся мужчин или соблазняют молодых девушек нарядами, примеряя им кокошники и завязывая косынки, заимствованы из сборника, содержащего иллюстрации к евангельской притче о приглашенных на пир[20]. Согласно тексту приглашенные отказались прийти, за что были наказаны и влекомы «на широкий путь и пространный», где их поджидают лукавые демоны. Сравнение картинки и рукописных миниатюр показывает, что, заимствуя сюжет, художник значительно изменил композиционное построение тех сценок, которые послужили для него оригиналами. Он выполнил вполне самостоятельную работу, по-своему расположив персонажи, придав им иной облик и, главное, сделав их более простонародными и лубочными.

Северодвинская художественная традиция народного изобразительного искусства не ограничивается только рукописными и лубочными памятниками. В нее входят и многочисленные произведения крестьянской росписи по дереву. Северодвинская роспись в настоящее время является одной из наиболее обследованных областей народного декоративного искусства Севера. Многочисленные экспедиции Русского музея, Государственного Исторического музея, Загорского музея, Научно-исследовательского института художественной промышленности в районы среднего и верхнего течения Северной Двины позволили собрать богатый материал о художниках, расписывавших прялки и бытовую утварь, и определить несколько центров производства расписных изделий[21]. Сопоставление наиболее характерных произведений отдельных школ росписи прялок с рисованными настенными картинками показало, что самыми близкими по манере исполнения к лубочным листам являются изделия из района села Борок.

В основе цветового строя борецких росписей лежит контраст светлого фона и ярких тонов орнамента — красного, зеленого, желтого, нередко золотого. Преобладающий цвет росписи — красный. Характерные узоры — стилизованные растительные мотивы, тонкие вьющиеся ветви с раскрытыми розетками цветов, пышные тюльпанообразные венчики; в нижний «став» прялок включены жанровые сценки.

Богатство орнамента, поэтичность фантазии, тщательность и красота отделки росписи борецких изделий, а также свободное владение местными мастерами иконописным и книжным делом[22] свидетельствуют о высоких художественных традициях северодвинского народного искусства.

С борецкими росписями лубочные рисованные картинки роднит особое узорочье растительного орнамента, выдержанная и гармоничная колористическая гамма, с преимущественным употреблением красного тона и умелым использованием светлого неокрашенного фона бумаги. Художники настенных листов любили мотив цветущей ветви с большими тюльпанообразными цветами. Так, на двух картинках птицы Сирины (кат. 57, 58) сидят не на пышных кустах, увешанных плодами, как было на поморских листах, а на причудливо извивающихся стеблях, от которых в обе стороны расходятся стилизованные орнаментальные листья то стрельчатых, то закругленных очертаний и крупные тюльпанообразные цветы. Сам рисунок огромных тюльпанов в картинках дан в точно таких же контурах и с такой же разделкой лепестков и сердцевинки, как это делали мастера на тоемских и пучугских прялках[23]. Кроме стилистической общности можно найти отдельные мотивы, совпадающие в картинках и в росписи по дереву. Например, такая характерная деталь, как изображение обязательных окошек с тщательной выписанностью переплетов в верхней части борецких прялок, повторяется на листе с изображением райского сада (кат. 56), где ограждающая стена имеет такие же окошки «в клетку». Художник, создавший это произведение, обнаруживает высокое мастерство владения древнерусскими приемами рисунка и недюжинную фантазию. Необыкновенные деревья-кусты райского сада со сказочными цветами поражают воображение зрителя, показывают богатство и многообразие идеального мира.

Эмоциональный характер орнамента и всего строя северодвинских картинок совершенно иной, нежели у остальных лубочных рисунков. Цветовая гамма северодвинских листов отличается изысканностью немногих, тщательно подобранных сочетаний, создающих тем не менее ощущение многоцветности и красоты мира.

Северодвинская рукописная и лубочная школа выросла не только на традициях древнерусского искусства, но испытала сильное влияние таких крупных центров художественного ремесла, как Великий Устюг, Сольвычегодск, Холмогоры. Яркое и красочное искусство эмальеров, декоративные приемы росписи сундуков-теремков и подголовников с характерными светлыми фонами, мотивами тюльпанообразных цветов, изгибающихся стеблей, узорчатостью вдохновляли местных художников в поисках особой выразительности растительного узора. Сочетание этих влияний объясняет своеобразие произведений северодвинского художественного центра, неповторимость их образного и цветового строя.

Датировка северодвинских картинок свидетельствует о

достаточно длительном периоде их производства и бытования. Самые ранние из сохранившихся листов были исполнены в 1820-х годах, наиболее поздние относятся к началу XX века.

* * *

Следующий центр рукописного лубка известен по точному месту изготовления настенных листов. Это группа вологодских произведений, связанных с бывшими Кадниковским и Тотемским уездами Вологодской области. Из 35 известных в настоящее время картинок 15 хранятся в Историческом музее.

Несмотря на достаточную территориальную близость, вологодские листы значительно отличаются от северодвинских. Они разнятся по стилистической манере, по колористической гамме, по отсутствию в вологодских картинках узорчатой орнаментальности и пристрастию мастеров к жанровым композициям с развернутым повествовательным сюжетом.

Интересно сопоставить вологодские лубки с другими видами народного творчества. Роспись по дереву имела в Вологодской области довольно большое распространение. Особый интерес для нас представляет искусство домовой росписи XIX века, отмеченной отсутствием мелочной выписанности и лаконизмом цветового строя — чертами, свойственными еще старой вологодской традиции. Львы, птицы, грифоны, встречавшиеся в рисунках на лубяных коробах, перешли в роспись отдельных деталей внутренних помещений крестьянской избы. С росписью по дереву настенные листы роднит заметное тяготение художников к жанровости изображений, а также лаконизм контурных графических очертаний, их выразительность.

При сопоставлении вологодских лубочных рисунков с лицевыми рукописями удается выявить в работе художников целый ряд общих стилистических признаков. По ним, кстати, определенную группу лицевых сборников XIX века можно отнести к вологодской рукописной школе, которая до недавнего времени не выделялась исследователями в самостоятельный центр[24]. К характерным приемам рисунка и в миниатюрах и на картинках относятся способы тонировки фона прозрачным слоем краски, закраски почвы и горок ровным светло-коричневым тоном с прописью изгибов по всем линиям широкой полосой более темного цвета, изображения полов в интерьерах в виде прямоугольных плит или длинных досок с обязательной обводкой контура более темным цветом, подцветки светлыми серыми тонами волос и бород у мужчин в многосюжетных композициях. Наконец, лубочные картинки и миниатюры роднит употребление одинаковых и, видимо, излюбленных художниками цветовых сочетаний, где преобладают желтые, коричневые тона, яркий красно-оранжевый цвет.

Но при всей художественной близости той и другой разновидности вологодских изобразительных памятников мы не встретим в них сюжетов, которые бы прямо заимствовались или переносились из рукописей в картинки и наоборот.

Всем вологодским листам свойственна развернутая повествовательность. Это — иллюстрации к притчам, легендам из «Великого зерцала», к статьям из Пролога, Патерика. Редкий по тематике сатирический рисунок «О хо хо, тяжел русский мужик...», о котором уже шла речь, также относится к числу вологодских памятников.

Вологодские художники явно стремились придать рисункам не столько поучительный и назидательный смысл, сколько сделать их занимательными, облечь в форму увлекательного рассказа. Как правило, все композиции — многофигурные, насыщенные действием. Интересно, что в некоторых картинках, иллюстрирующих легенды и притчи об искушении праведников, о наказании после смерти за грехи, чудовища, преследующие человека, изображены не устрашающими, а добрыми. Волки, драконы с огненной пастью, львы, змеи, хотя и окружают пещеру святого Антония или, например, загоняют «лукавого человека» в горящее озеро, не выглядят порождениями адских сил, а носят какой-то игрушечный характер. Скорее всего, это невольная трансформация проистекает от глубинной связи мастеров с вековыми традициями народного искусства, которое всегда отличалось добротой и радостным восприятием мира.

Иным проявлением повествовательного, занимательного характера вологодских произведений является обилие включаемого в композицию текста. К тому же текстовая часть здесь совершенно иная, чем в картинках поморской школы. Главное в вологодских листах — не декоративная красота шрифта и инициалов, а информативная нагрузка. Так, в картинке «Яко напрасно нам виновен бес бывает» (кат. 69) сюжет притчи из «Великого зерцала» изложен в пространной надписи под изображением. Текстовые пояснения внесены и в композицию: диалог персонажей, как принято в лубочных картинках, передан чисто графическими средствами — высказывания каждого написаны на длинных полосах, пририсованных ко рту. Две части рисунка соответствуют двум ключевым моментам повествования, смысл которого в том, что бес изобличает крестьянина, ворующего репу на огороде у старца, во лжи и в попытке свою вину переложить на него, ни в чем не повинного беса.

Большинство произведений местного центра, как свидетельствуют водяные знаки бумаги и все сведения, собранные исследователями, относятся к концу XIX — началу XX века. Более ранних экземпляров не сохранилось или, скорее всего, вообще не существовало. Вполне возможно, что вологодский центр рисованных настенных листов оформился только в конце XIX века в связи с развитием здесь местной рукописной школы. Заметное оживление искусства росписи по дереву, которое выразилось в создании композиций с изображением фантастических животных в интерьерах крестьянских изб, также способствовало расцвету здесь искусства рисованного лубка.

* * *

Гуслицкий центр, как и другие, тесно связан с местной книжной традицией. До недавнего времени у исследователей не было определенного мнения об особенностях стиля гуслицких рукописей[25]. В настоящее время появились некоторые статьи, в которых авторы выявляют его характерные черты[26]. Отметим те из них, что свойственны и манере украшения настенных листов.

Почерк лучших гуслицких рукописей характеризуется пропорциональностью, красотой и некоторой вытянутостью букв. От поморского полуустава он отличается чуть заметным наклоном букв и большей их толщиной. Инициалы выполнялись в нарядной и красочной манере, но тоже отличной от поморской. У них нет длинных орнаментальных веток — отростков, стелющихся иногда вдоль всего поля бумаги, а лишь один пышный стебель — цветок вьюна, расположенный рядом и вровень с самим инициалом. Внутренняя часть букв, всегда объемных и широких, декорировалась золотыми или цветными завитками орнамента. Часто ножки больших инициалов украшены чередующимися разноцветными орнаментальными полосами.

Самая характерная отличительная черта гуслицкого орнамента — цветная штриховка, повсеместно употреблявшаяся художниками для моделировки объемов или при раскраске элементов украшений. Штриховка делалась тем же цветом, что и основной тон раскраски. Она накладывалась или по белому фону бумаги, как бы обрамляя основную раскраску, или поверх основного тона более темным цветом. В заставках и инициалах памятников гуслицкой школы часто применялись яркие синий и голубой цвета. Таких сияющих синих красок в сочетании с обильным золочением нет больше ни в одной из рукописных школ XVIII—XIX веков.

В Историческом музее хранится 13 картинок гуслицкой манеры. Сопоставление этих рисунков с поморскими картинками (по аналогии с повсеместно принятым сравнением орнаментики поморских и гуслицких рукописей) позволяет глубже почувствовать их оригинальность. Часто в тех и других сочетаются в равном соотношении текстовая и изобразительная части — стихи, песнопения, иллюстрации к литературным произведениям. Сравнение их показывает, что гуслицкие мастера хорошо знали поморские картинки. Но художественное решение гуслицких картинок отличается полной самостоятельностью. Это касается компоновки текста, сочетания размеров шрифта с величиной заглавных букв-инициалов, своеобразия декоративных обрамлений листов в целом. Здесь, как бы напротив, ощущается стремление ни в чем не повторить выговские лубки. Нет ни одного случая употребления овальной рамки из цветов или плодов, нет вазонов, корзин, столь характерных для обрамления текстов на поморских листах. Названия листов пишутся не вязью, а крупным полууставом яркой киноварью. Инициалы выделяются особенно большим масштабом, занимая иногда почти треть листа. Чувствуется, что декорировка инициалов составляла предмет главных забот художников — настолько они разнообразно и красиво расцвечены, украшены причудливо вьющимися цветами и листьями, сияют золотым узором. Они прежде всего приковывают внимание зрителя и являются главными декоративными элементами большинства композиций.

К каким результатам приводило индивидуальное мастерство декорировщиков картинок, можно судить по двум рисункам на тему поучения Иоанна Златоуста о правильном крестном знамении (кат. 75, 76). Казалось бы, одинаковый сюжет, сходное решение клейм, но листы совершенно непохожи из-за разного понимания колорита и орнаментики.

В гуслицких картинках сюжетные эпизоды расположены в отдельных клеймах, помещаемых по углам или горизонтальными полосами в верхней и нижней частях листа. Обрамление центральной композиции клеймами заставляет вспомнить иконописные традиции, связь с которыми в гуслицких произведениях достаточно ощутима и в моделировке одежды персонажей, в изображении архитектурных сооружений, в рисунке деревьев с условной грибовидной кроной, расположенной в несколько ярусов.

Гуслицкие мастера настенных картинок, так же как и все, работали жидкой темперой, но их краски более плотны и насыщенны.

В сюжетах наблюдается та же закономерность, что и в художественных особенностях творчества мастеров этой школы: заимствуя общие приемы и тенденции произведений других центров, они стремились создавать собственные, отличающиеся от прочих, варианты. Среди рисованных настенных листов есть сюжеты, встречающиеся в других местах производства картинок: «Аптека духовная» (кат. 81) или «Взирай с прилежанием, тленный человече...» (кат. 83), но художественное решение их своеобразно. Есть и целиком оригинальные картинки: лист, иллюстрирующий апокрифическое сказание о наказании Каину за убийство брата (кат. 78), иллюстрации к «Стихире надгробной», где показаны эпизоды прихода Иосифа и Никодима к Пилату и снятие с креста тела Христова (кат. 84).

Временной промежуток создания гуслицких настенных картинок не очень широк. Большая часть их может быть отнесена ко второй половине — концу XIX века. Водяной знак одного листа дает дату 1828-й, что, вероятно, является наиболее ранним образцом.

* * *

Шестым локальным центром, с которым связано происхождение и распространение рисованного лубка, является Москва. По отношению к картинкам, выполненным в Москве, нельзя применить понятие школы. Группа этих листов настолько разнообразна в художественном и стилевом отношениях, что говорить о единой школе невозможно.

Среди московских картинок есть в других местах нам не встречавшиеся своеобразные образцы, где листы объединены в небольшие серии, как это сделал, например, художник, иллюстрировавший легенды библейской книги «Эсфирь». Он разместил основные эпизоды библейского рассказа на двух картинках, следующих одна за другой и по смыслу, и по тексту, расположенному в их нижней части (кат. 90, 91). Перед зрителем разворачивается повествование о выборе Эсфири в жены персидскому царю Артаксерксу, о ее верности и скромности, о предательстве царедворца Амана и бесстрашии Мардохея, о наказании Аману и т. д. Многоярусное плоскостное размещение эпизодов, характерное совмещение интерьера и внешнего вида зданий, пышное барочное обрамление архитектурных завершений дают в композициях причудливое переплетение древнерусских традиций и искусства нового времени.

Рассматривая стилистику, художественные методы известных нам местных центров рисованных картинок, можно заметить, что каждый из них, хотя и обладал своими отличительными признаками, развивался в едином общем русле народного изобразительного искусства. Они существовали не изолированно, а находились постоянно в курсе тех достижений, которые имелись в соседних и даже отдаленных школах, принимая или отвергая некоторые из них, заимствуя тематику или занимаясь поисками оригинальных сюжетов, собственных способов выражения.

* * *

Рисованный лубок — особая страница в истории народного изобразительного искусства. Он родился в середине XVIII века и использовал форму печатного лубка, имевшего к тому времени широко разработанную тематику и выпускавшегося большими тиражами. Вторичность рисованного лубка по отношению к гравированным картинкам не вызывает сомнения. Художники использовали некоторые поучительные и духовно-нравственные сюжеты гравированных картинок. Но подражательность и заимствования касаются в основном содержательной стороны.

В отношении художественных методов и стилистики рисованный лубок с самого начала проявил оригинальность, стал развиваться самостоятельным путем. Опираясь на высокую культуру древнерусской живописи, и особенно рукописной книжной традиции, бережно хранившейся в среде старообрядческого населения, художники переплавили готовую форму печатных картинок в иное качество. Именно синтез древнерусских традиций и лубочного примитива имел своим результатом появление произведений новой художественной формы. Древнерусская компонента в рисованном лубке представляется едва ли не самой сильной. В ней не чувствуется стилизаторства или механического заимствования. Враждебно настроенные к новшествам старообрядческие художники опирались на привычные, взлелеянные исстари образы, строили свои произведения по принципу наглядного иллюстративного выражения отвлеченных идей и понятий. Согретая народным вдохновением, древнерусская традиция даже и в позднее время не замкнулась в условном мире. В своих произведениях она воплощала для зрителей светлый мир человечности, говорила с ними возвышенным языком искусства.

Из иконного художества рисованный лубок впитал одухотворенность и изобразительную культуру. Из книжной миниатюры в него пришли органическое сочетание текстовой и изобразительной частей, способы написания и декорировки инициалов, тщательность проработки рисунка и раскраски фигур и предметов.

В то же время рисованные листы имели в основе ту же изобразительную систему, что и лубочные картинки. Она строилась на понимании плоскости как двухмерного пространства, выделении главных персонажей способом увеличения, фронтальном размещении фигур, декоративном заполнении фона, на узорно-орнаментальной манере построения целого. Рисованный лубок полностью укладывается в целостную эстетическую систему, основанную на принципах художественного примитива. Художников рисованного лубка, так же как и мастеров других видов народного творчества, отличают неприятие натуралистического правдоподобия, стремление выразить не внешнюю форму предметов, а их внутреннее сущностное начало, наивность и идилличность способа образного мышления.

Искусство рисованного лубка занимает особое место в системе народного изобразительного творчества по своему промежуточному положению между городским и крестьянским искусством. Развиваясь в среде крестьянских художников или в старообрядческих общежительствах, где подавляющая часть населения была также крестьянской по своему происхождению, рисованный лубок ближе всего стоит к городскому ремесленному искусству посада. Будучи искусством станкового характера, до некоторой степени искусством иллюстрации, а не украшения вещей, необходимых в быту, каким в подавляющем большинстве было крестьянское искусство, рисованный лубок оказывается более зависимым от искусства городского, профессионального. Отсюда его стремление к «картинности», заметное влияние барочных и рокайльных приемов в композиционных построениях.

Крестьянская среда добавила к художественной природе рисованного лубка еще один пласт — фольклорную традицию, фольклорные поэтические образы, всегда жившие в народном коллективном сознании. Особая любовь к мотиву древа жизни, древа мудрости с полезными советами и наставлениями, к цветущему и плодоносящему дереву — символу красоты природы, идет у художников рисованного лубка от древнего фольклорного представления, постоянно воплощаемого на предметах прикладного творчества. Мотивы больших цветов, бутонов с заключенной в них силой роста и цветения отражают народное поэтическое мироощущение. Наслаждение красотой мира, радостное мировосприятие, оптимизм, фольклорное обобщение — вот те черты, которые впитал рисованный лубок из крестьянского искусства. Это чувствуется во всем образном и цветовом строе рисованных настенных картинок.

История рисованного лубка насчитывает немногим более 100 лет. Исчезновение в начале XX века искусства рисованных картинок объясняется теми общими причинами, которые повлияли на изменение всего лубочного творчества. Распространившаяся огромными массовыми тиражами хромолитография и олеография, сосредоточившаяся в руках таких издателей, как И. Д. Сытин, Т. М. Соловьев, И. А. Морозов, и других, совершенно изменила облик городского лубка, превратив его в красивенькие картинки «для народа». В конце XIX — начале XX века активную издательскую деятельность развернула московская старообрядческая типография Г. К. Горбунова, где в большом количестве печатались лубочные листы религиозного содержания. Рисованный лубок, вероятно, был просто вытеснен этим засилием дешевых картинок. Не связанный непосредственно с бытом, с производством посуды, прялок, игрушек, крестьянский промысел в области рисованного лубка, почти совершенно неизвестный ценителям и меценатам и потому не нашедший поддержки, как это было с некоторыми другими видами народного творчества, бесследно исчез.

Причины изживания в практике начала XX века искусства лубочных картинок носят как частный, так и общий характер. Неуклонное развитие форм человеческого общежительства, изменение психологии и образа жизни, связанное с процессом урбанизации, усиление противоречий общественно-социального развития и многие другие факторы привели на рубеже XIX и XX веков к трансформации всей системы народной культуры и неизбежной утрате некоторых традиционных видов народного искусства.

Знакомство с рисованными лубками призвано заполнить тот пробел, который существует в изучении народного изобразительного искусства XVIII—XIX веков. Столь актуальный в наши дни вопрос о путях дальнейшего развития народных художественных промыслов требует новых углубленных исследований, поисков подлинно народных традиций, внедрения их в художественную практику. Изучение малоизвестных памятников народного изобразительного искусства может помочь в решении и этих задач.

ПРИМЕЧАНИЯ

1 См.: Барсов Е. В. Описание рукописей и книг, хранившихся в Выголексинской библиотеке.— Спб., 1874; Дружинин В. Г. К истории крестьянского искусства XVIII—XIX вв. в Олонецкой губернии: (Художественное наследие Выгорецкой поморской обители)//Известия АН СССР; Сер. 6.— 1926.— Вып. 15—17.— С. 1479—1490; Дружинин В. Г. Словесные науки в Выговской поморской пустыни.— Спб., 1911; Есипов Г. В. Раскольничьи дела XVIII столетия. Т. 1.— Спб., 1861; Любомиров П. Г. Выговское общежительство: Ист. очерк.— Саратов, 1924; Майнов В. Н. Мертвый городок: (Из путевых заметок)//Исторический вестник. Т. 3.— Спб., 1880; Малышев В. И. Как писали рукописи в Поморье в конце XIX — начале XX в.//Известия Карело-финской научно-исследовательской базы АН СССР.— Петрозаводск, 1949.— № 1.— С. 73—84; Ончуков Н. Е. Старина и старообрядцы: (Поездка в Поморье и Заонежье)//Живая старина; Вып. 3.— Спб., 1905; Островский Д. Н. Выговская пустынь и ее значение.— Петрозаводск, 1914; Пришвин М. М. В краю непуганых птиц: Очерки Выговского края//Собр. соч.: В 6 т. Т. 2.— М., 1956.— С. 7—161; Рыбников П. Н. Из путевых заметок по Петрозаводскому и Повенецкому уездам. Данилов и Лекса. Прошедшее Данилова и Лексы//Памятная книжка Олонецкой губернии на 1867 год. Ч. III.— Петрозаводск, 1867.

2 См.: Малышев В. И. Усть-Цилемские рукописные сборники XVI–XX вв.— Сыктывкар, 1960.

3 См. там же.— С. 10.

4 См.: Иткина Е. И. Лубочный лист с изображением соловецкого восстания// Музей. Художественные собрания СССР. № 6.— М., 1985.— С. 78—95; Иткина Е. И. Повесть «Описание лицевое великой осады и разорения монастыря Соловецкого» и ее литературные и изобразитель-

ные источники//Труды отдела древнерусской литературы Института русской литературы. Т. XXXVIII.— Л., 1985.— С. 241—259.

[5] См.: Вишневская В. М. Резьба и роспись по дереву мастеров Карелии.— Петрозаводск, 1981.— С. 52; Попова З. П. Расписная мебель// Сокровища русского народного искусства: Резьба и роспись по дереву.— М., 1967.— С. 45—66, ил. 58.

[6] См.: Фомичева З. И. Редкое произведение русского искусства XVII в.//Древнерусское искусство. XVII в.— М., 1964.— С. 316—326.

[7] См.: Ровинский Д. А. Русские народные картинки. Т. 5.— Спб., 1881.— С. 26.

[8] БАН, собр. В. Г. Дружинина № 140.

[9] См.: Понырко Н. В. Федор Антонович Каликин — собиратель древних рукописей// Труды отдела древнерусской литературы Института русской литературы. Т. XXXV.— Л., 1980.— С. 447.

[10] ГБЛ, ф. 491.

[11] ЦГВИА СССР, ф. 496, оп. 1, д. 2821.

[12] ГИМ, Муз. 3085.

[13] ГИМ, Муз. 3403.

[14] ГИМ, Муз. 3435.

[15] ГИМ, Муз. 3390.

[16] См.: Щепкин В. Н. Рукописи императорского Российского исторического музея.— М., 1913.— С. 6.

[17] См.: Малышев В. И. Усть-Цилемские рукописные сборники XVI–XX вв.— С. 10.

[18] См.: Арбат Ю. А. Русская народная роспись по дереву.— М., 1970.— С. 33–38.

[19] См.: Белоброва О. А. Северодвинские лицевые рукописные сборники XVIII—XIX вв.//Труды отдела древнерусской литературы Института русской литературы. Т. XXIX.— Л., 1974.— С. 326—330; Бударагин В. П. Северодвинская рукописная традиция и ее представители: (По материалам Древлехранилища Пушкинского Дома)// Труды отдела древнерусской литературы Института русской литературы. Т. XXXIII.— Л., 1979.— С. 401—405; Бударагин В. П., Маркелов Г. В. Орнаментика крестьянской рукописной книги XVIII–XIX вв.// Труды отдела древнерусской литературы Института русской литературы. Т. XXXVIII.— Л., 1985.— С. 476—502.

[20] ГИМ, Щук. 403, л. 52, 53; Муз. 115, л. 62, 63.

[21] См.: Богуславская И. Я. Русское народное искусство в собрании Государственного

Русского музея.— Л., 1984; Василенко В. М. Русская народная резьба и роспись по дереву XVIII—XIX вв.— М., 1960; Жегалова С. К. Новые материалы по истории северодвинской росписи//Русское народное искусство Севера.— Л., 1968.— С. 34—46; Жегалова С. К. Художественные прялки//Сокровища русского народного искусства: Резьба и роспись по дереву.— С. 115—138; Круглова О. В. Северодвинские росписи//Русское народное искусство Севера.— С. 19—33; Круглова О. В. Русская народная резьба и роспись по дереву: Из собрания Загорского государственного историко-художественного музея-заповедника.— М., 1983; Круглова О. В. Народная роспись Северной Двины.— М., 1987; Уханова И. Н. Книжная иллюстрация XVIII века и памятники народного декоративно-прикладного искусства Русского Севера: (Северная Двина)//Русское искусство первой четверти XVIII в.: Материалы и исследования.— М., 1974.— С. 210—226.

[22] См.: Арбат Ю. А. Русская народная роспись по дереву.— С. 79—82; Круглова О. В. Северодвинские росписи.— С. 30; Бударагин В. П. Северодвинская рукописная традиция и ее представители.— С. 403, 404.

[23] См.: Арбат Ю. А. Русская народная роспись по дереву.— Ил. на с. 78, 79, 84; Круглова О. В. Северодвинские росписи.— Ил. на с. 31.

[24] ГИМ, Муз. 2779, Муз. 2499, Щук. 645, Щук. 690; ГБЛ, ф. 17; № 45; БАН, собр. А. Е. Бурцева № 43, собр. В. Г. Дружинина № 140, 45, 11, 14; ИРЛИ, Древлехранилище, собр. Ф. А. Каликина № 14.

[25] Почерк рукописей назывался поморским полууставом, а стиль украшения обозначался или как просто поморский, или, в лучшем случае, как «поморский I типа» (Каталог иллюстрированных рукописей ГИМ; Ухова Т. Б. Художественно-изобразительные моменты в рукописях собрания П. П. Шибанова//ГБЛ, оп. ф. № 344).

[26] См.: Дробленкова Н. Ф., Сарафанова Н. С. Поездка за рукописями в Орехово-Зуевский и Куровской районы Московской области в декабре 1958 г.//Труды отдела древнерусской литературы Института русской литературы. Т. XVI.— Л., 1960.— С. 539—542; Бобков Е. А. Певческие рукописи гуслицкого письма//Труды отдела древнерусской литературы Института русской литературы. Т. XXXII.— Л., 1977.— С. 388—394; Неволин Ю. А. Методика работы над «Иллюстрированным каталогом иллюминированных рукописей в собрании ГБЛ»//Записки отдела рукописей ГБЛ. № 37.— М., 1976.— С.228—229.

SUMMARY

Russian popular prints, louboks, belong to the separate sphere of fine folk art which, rather peculiarly, accumulated the spiritual life of the people and showed their cognition of the world and artistic aspirations. The appearance and evolution of the genre cover the comparatively late period of the history of folk art – mid-18th and 19th centuries – when many other forms of fine folk arts have gone a certain evolution. From the historical and culturological aspect, Russian louboks present a variant of the folk primitives and form one group with such art phenomena as loubok paintings and engravings from one side and book miniatures, distaff and chest paintings from the other. Loubok prints are poorly studied and until recently this trend of 18th-19th century art was very rarely mentioned in scientific literature. Louboks did not interest art connoisseurs and are thus not often seen in library or museum collections. But the Historical Museum in Moscow boasts a considerable collection of this artistic genre, which can give a comprehensive idea of its peculiarities and demonstrate the main stages of its evolution.

The loubok technique was rather peculiar. Watery tempera was put on a slight pencil design, masters diluted paints in egg emulsion or sticky vegetable substances. Tempera is an advantageous material and strongly diluted in solvent it gives a watercolour-like effect when transparent painting with translucent layers is produced. As distinct from the mass loubok engravings, popular prints were done by the masters completely by hand, which imparted to louboks an improvised and naive uniqueness.

The authors of the wall sheets were, as a rule, closely linked with folk mastercraftsmen, among them icon painters, miniaturists and copyists who preserved and developed early Russian traditions. This circle, primarily, formed the future masters of the popular prints.

Louboks originated and circulated more often at the old-believers monasteries, northern villages and settlements of the Moscow area, guarding old Russian traditions of icon painting and writing manuscripts. A number of centres with flourishing, in the 18th and more so in the 19th century, art of popular prints can be singled out. These are the Vygo-Leksinsky Monastery of old-believers, with the adjoining skits (Karelia), the region of the Upper Toima on the Northern Dvina, Kadnikovsky and Totemsky regions in the Vologda Area, Velikopozhenskoye Commune on River Ust-Tsilma on the Pechora and Guslitsa in the Orekhovo-Zuyevsky Region near Moscow.

Every one of these local centres gave birth to pictures which, in their stylistic peculiarities and artistic means of expression followed the general trend of the development of folk art, all their peculiar features notwithstanding. The masters of different schools were never isolated from others and kept in touch with their colleagues from the neighbouring and even remote centres, assimilated or rejected some of their achievements, borrowing themes one from the other, striving simultaneously for original subjects and means of treating them.

Louboks constituted a noteworthy page in the history of folk art. It took high spirituality and artistry from icon painting, an organic blend of the textual and artistic aspects, initials' form and decor, delicate drawing and colouring of figures and things — from manuscript miniatures. But, essentially, loubok prints had the same system of expression as loubok pictures. Compositions in both types were two-dimensional with main characters emphasised only by means of larger dimensions. Figures were placed frontally and the background scrupulously decorated, the whole thing producing an impression of a lace ornament. Prints thus fully obeyed the artistic principles of primitive art and can be included into the primitivistic aesthetic system.

The themes of louboks varied from sheets on historical subjects, for example, featuring the Battle of Kulikovo, 1380, or portraits of the leaders of schism, landscapes with old-believers' monasteries, and included illustrations to apocrytha on Biblical and Evangelical subjects, illustrations to parables from literary collections, pictures for reading and singing and wall church calendars.

The book Sovetskaya Rossiya Publishers are offering their readers aims at acquainting them with louboks, to fill in the blank spots in studying 18th-19th century folk art in Russia. Highly topical issues of the progress of folk arts and crafts demand new and profound research, a search for people's traditions ahd their introduction into the art of our time. The scarcely known area of fine folk arts can help us in this connection.

РЕПРОДУКЦИИ
PLATES

Родословное дерево А. и С. Денисовых. Первая половина XIX в.
Неизвестный художник
(кат. 3)

Family Tree of A. and S. Denisovs. First half 19th century
Anonymous artist
(cat. 3)

Родословное дерево А. и С. Денисовых. Первая половина XIX в. Фрагмент
Неизвестный художник

Family Tree of A. and S. Denisovs. First half 19th century. Detail
Anonymous artist

Панорама Выговского и Лексинского общежительств и поклонение иконе Богоматери. 1838
Художник В. Тарасов
(кат. 100)

General View of the Vygovsky and Leksinsky Monasteries and the Adoration of the Icon of the Virgin. 1838
Artist V. Tarasov
(cat. 100)

Панорама Выговского и Лексинского общежительств и поклонение иконе Богоматери. 1838. Фрагмент
Художник В. Тарасов

General View of the Vygovsky and Leksinsky Monasteries and the Adoration of the Icon of the Virgin. 1838. Detail
Artist V. Tarasov

Никифор Семенов и Семен Титов. Середина XIX в.
Неизвестный художник
(кат. 1)

Nikifor Semyonov and Semyon Titov. Mid-19th century
Anonymous artist
(cat. 1)

Андрей Денисов. Начало XIX в.
Неизвестный художник
(кат. 96)

Andrei Denisov. Early 19th century
Anonymous artist
(cat. 96)

Даниил Викулов, Андрей Денисов, Семен Денисов, Петр Прокопьев. Начало XIX в.
Неизвестный художник
(кат. 2)

Ganiil Vikulov, Andrei Denisov, Semyon Denisov, Pyotr Prokopyev. Early 19th century
Anonymous artist
(cat. 2)

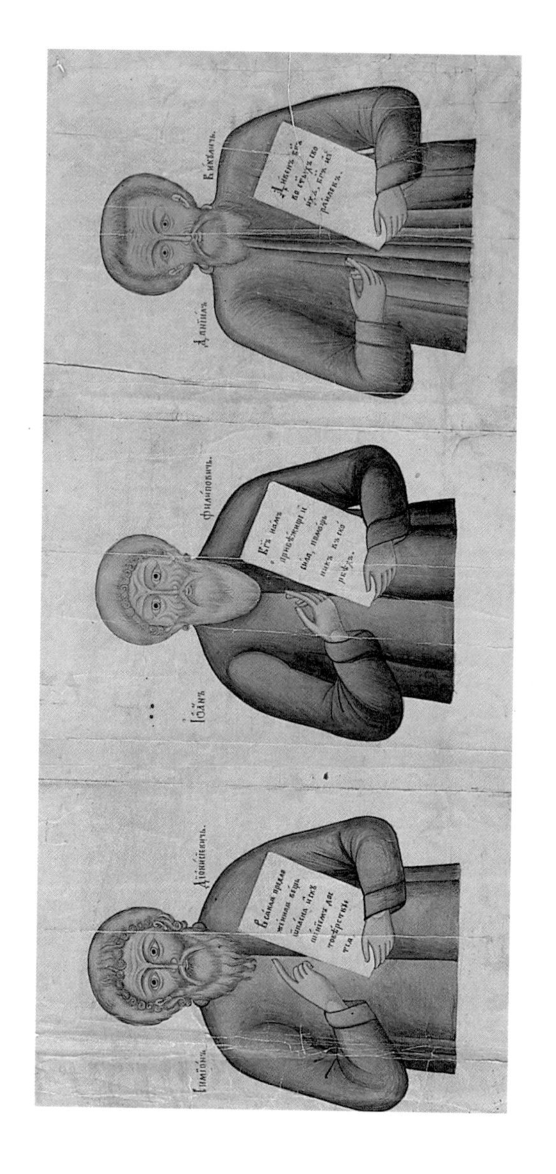

С. Денисов, И. Филиппов, Д. Викулов. Середина XIX в.
Неизвестный художник
(кат. 53)

S. Denisov, I. Filippov, D. Vikulov. Mid-19th century
Anonymous artist
(cat. 53)

Сравнительное изображение некоторых атрибутов обрядности и символики, принятых у старообрядцев и в официальной православной церкви. Вторая половина XIX в. Неизвестный художник
(кат. 61)

Attributes of the Divine Service and Symbols Used by Old-Believers and Official Orthodox Church. Second half 19th century
Anonymous artist
(cat. 61)

Изображение некоторых атрибутов обрядности и символики, принятых в официальной православной церкви. Конец XVIII — начало XIX в.
Неизвестный художник
(кат. 5)

Attributes of the Divine Service and Symbols Used by Old-Believers and Official Orthodox Church. Late 18th-early 19th century
Anonymous artist
(cat. 5)

Изображение некоторых атрибутов обрядности и символики, принятых у старообрядцев. Конец XVIII — начало XIX в.
Неизвестный художник
(кат. 6)

Attributes of the Divine Service and Symbols Used by Old-Believers. Late 18th-early 19th century
Anonymous artist
(cat. 6)

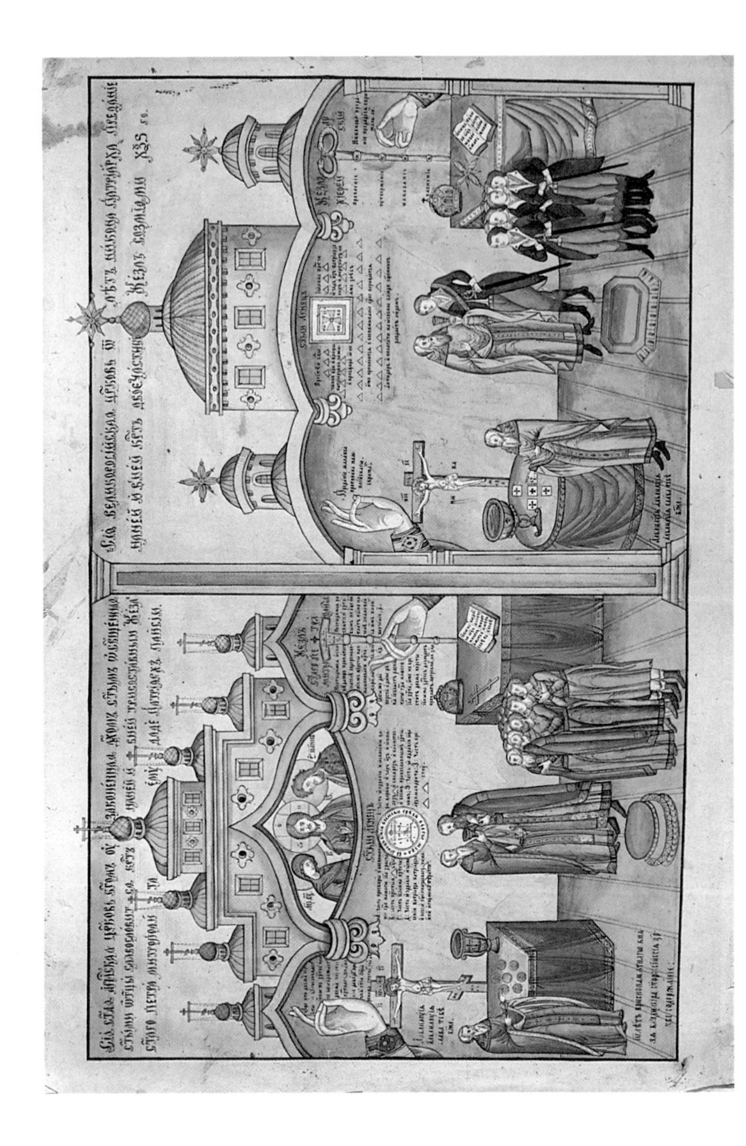

Сравнительное изображение некоторых атрибутов обрядности и символики, принятых у старообрядцев и в официальной православной церкви. 1880-е гг.
Неизвестный художник
(кат. 103)

Attributes of the Divine Service and Symbols Used by Old-Believers and Official Orthodox Church. The 1880s
Anonymous artist
(cat. 103)

Изображение расправы воеводы Мещеринова с участниками соловецкого восстания 1668—1676 гг. Начало XIX в. Художник М. В. Григорьев (?)
(кат. 88)

The Picture of Massacre by Voivode Meshcherinov over the Participants in the Solovki Uprising, in 1668—1676. Early 19th century
Artist M. V. Grigoryev (?)
(cat. 88)

Изображение расправы воеводы Мещеринова с участниками соловецкого восстания 1668—1676 гг. Начало XIX в. Фрагмент
Художник М. В. Григорьев (?)

The Picture of Massacre by Voivode Meshcherinov over the Participants in the Solovki Uprising, in 1668–1676. Early 19th century. Detail
Artist M. V. Grigoryev (?)

Изображение расправы воеводы Мещеринова с участниками соловецкого восстания 1668—1676 гг. Начало XIX в. Фрагмент
Художник М. В. Григорьев (?)

The Picture of Massacre by Voivode Meshcherinov over the Participants in the Solovki Uprising, in 1668–1676. Early 19th century. Detail
Artist M. V. Grigoryev (?)

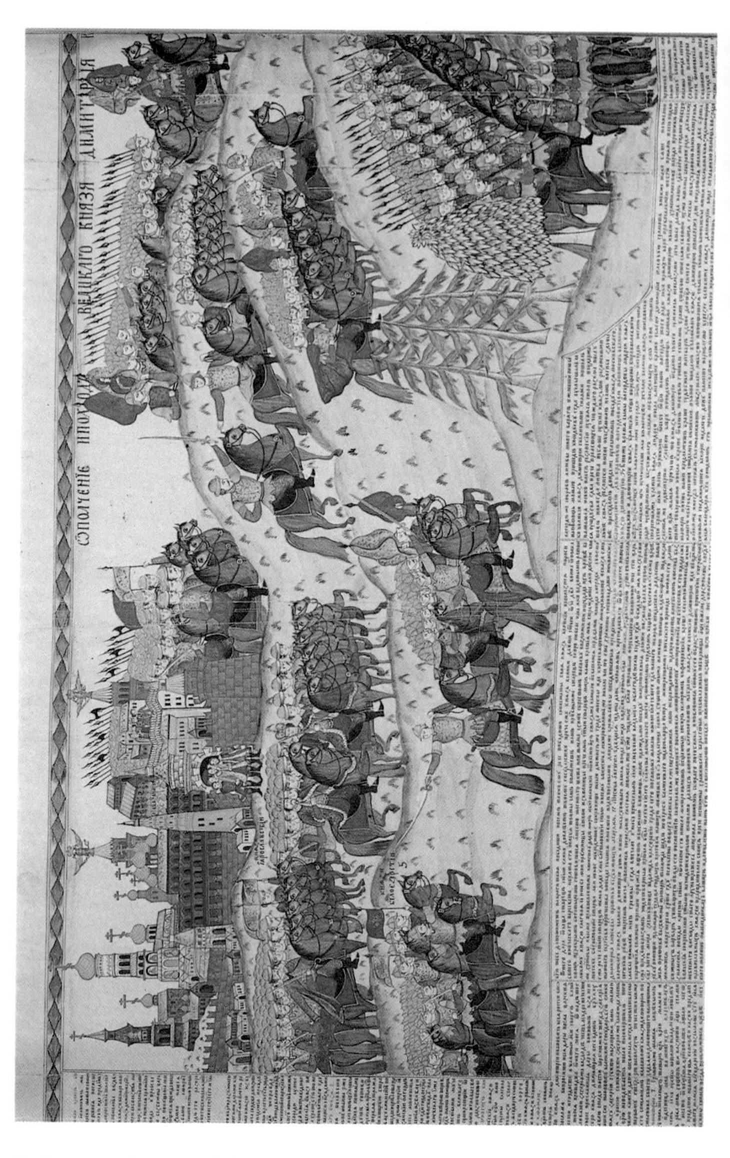

Изображение Куликовской битвы. Вторая половина 1890-х гг. Фрагменты
Художник И. Г. Блинов
(кат. 93)

The View of the Battle of Kulikovo. Second half of the 1890s. Details
Artist I. G. Blinov
(cat. 93)

ВЕЛИКАГО КНЯЗЯ · ДИМИТРІЯ ІОАННОВИЧА САМОДЕРЖЦА ВСЕРОССІЙСКАГО ПРОТИВУ ЗЛОЧЕСТИВАГО И БЕЗБОЖНАГО

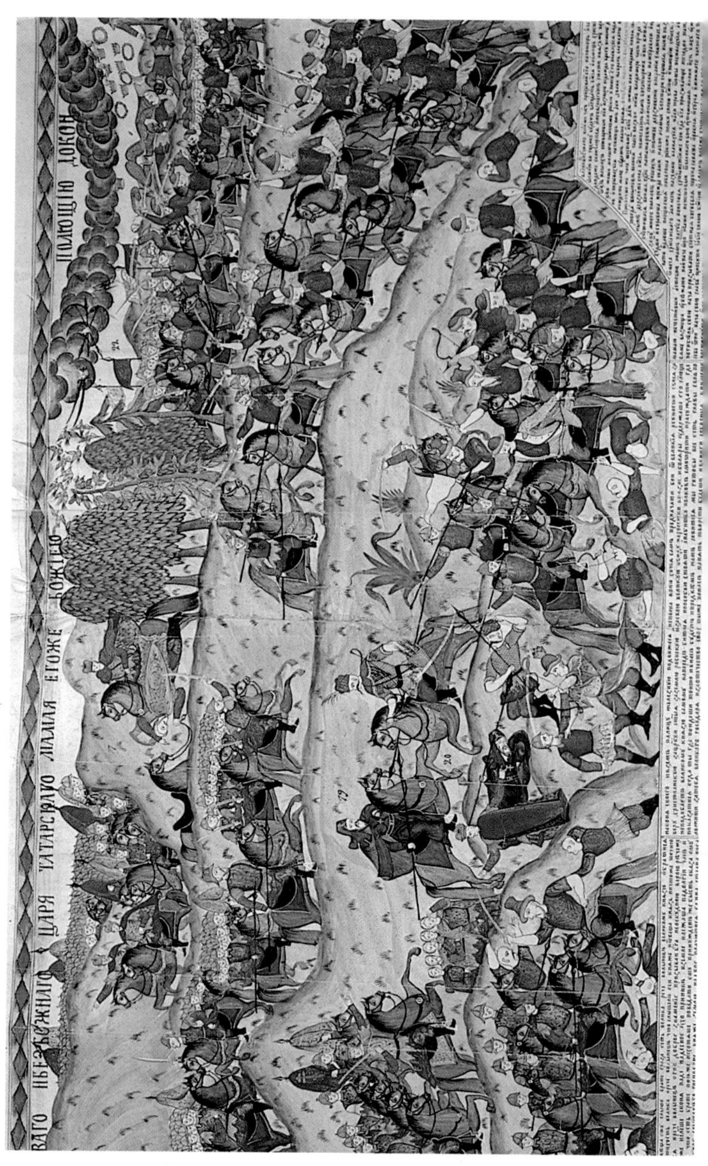

Изображение Куликовской битвы. Вторая половина 1890-х гг. Фрагмент
Художник И. Г. Блинов

The View of the Battle of Kulikovo. Second half of the 1890s. Detail
Artist I. G. Blinov

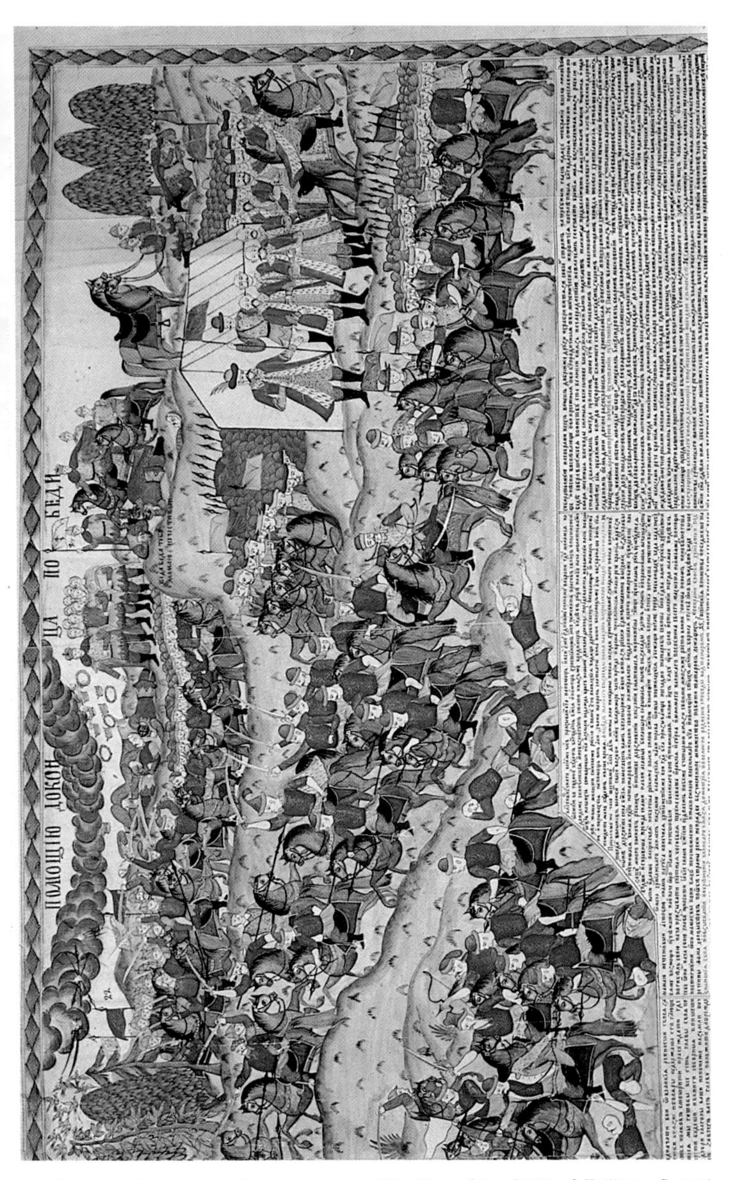

Изображение Куликовской битвы. Вторая половина 1890-х гг. Фрагмент
Художник И. Г. Блинов

The View of the Battle of Kulikovo. Second half 19th century. Detail
Artist I. G. Blinov

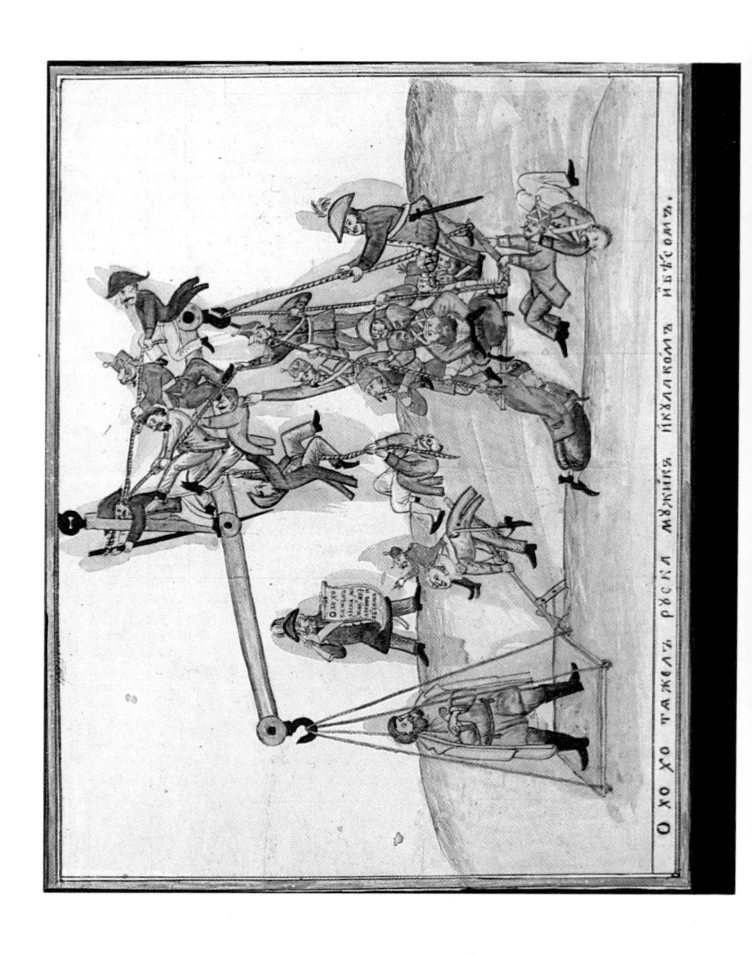

Карикатура на внешнеполитическую ситуацию 1850—1870-х гг. Начало XX в.
Неизвестный художник
(кат. 60)

Caricature on the International Situation in the 1850-1870s. Early 20th century
Anonymous artist
(cat. 60)

Сотворение человека, жизнь Адама и Евы в раю, изгнание их из рая. Первая половина XIX в.
Неизвестный художник
(кат. 8)

Creation of Man, Adam and Eve in Paradise, Banishment from Paradise. First half 19th century
Anonymous artist
(cat. 8)

Сотворение человека, жизнь Адама и Евы в раю, изгнание их из рая. Первая половина XIX в. Фрагмент
Неизвестный художник

Creation of Man, Adam and Eve in Paradise, Banishment from Paradise. First half 19th century. Detail
Anonymous artist

Иллюстрация к сказанию о наказании Каину за убийство брата. Середина XIX в. Неизвестный художник
(кат. 78)

Illustration to the Biblical Tale about the Punishment of Cain for the Murder of His Brother. Mid-19th century
Anonymous artist
(cat. 78)

Иллюстрация к сказанию о наказании Каину за убийство брата. Середина XIX в. Фрагмент
Неизвестный художник

Illustration to the Biblical Tale about the Punishment of Cain for the Murder of His Brother. Mid-19th century. Detail
Anonymous artist

Жертвоприношение Авраама. Конец XVIII — начало XIX в.
Неизвестный художник
(кат. 12)

Sacrifice of Abraham. Late 18th-early 19th century
Anonymous artist
(cat. 12)

Притча о блудном сыне. Начало XIX в.
Неизвестный художник
(кат. 13)

Parable of the Prodigal Son. Early 19th century
Anonymous artist
(cat. 13)

Притча о блудном сыне. Начало XIX в.
Фрагмент
Неизвестный художник

Parable of the Prodigal Son. Early 19th century. Detail
Anonymous artist

Притча о блудном сыне. Начало XIX в. Фрагмент
Неизвестный художник

Parable of the Prodigal Son. Early 19th century. Detail
Anonymous artist

Райская птица Сирин. Первая половина XIX в.
Неизвестный художник
(кат. 17)

Sirin, the Bird of Paradise. First half 19th century
Anonymous artist
(cat. 17)

Райская птица Сирин. Начало XIX в. Фрагмент
Неизвестный художник

Sirin, the Bird of Paradise. Early 19th century. Detail
Anonymous artist

Райская птица Сирин. Начало XIX в.
Неизвестный художник
(кат. 16)

Sirin, the Bird of Paradise. Early 19th century
Anonymous artist
(cat. 16)

Райская птица Алконост. Конец XVIII — начало XIX в.
Неизвестный художник
(кат. 20)

Alconost, the Bird of Paradise. Late 18th-early 19th century
Anonymous artist
(cat. 20)

Райская птица Алконост. Конец XVIII — начало XIX в. Фрагмент
Неизвестный художник

Alconost, the Bird of Paradise. Late 18th-early 19th century. Detail
Anonymous artist

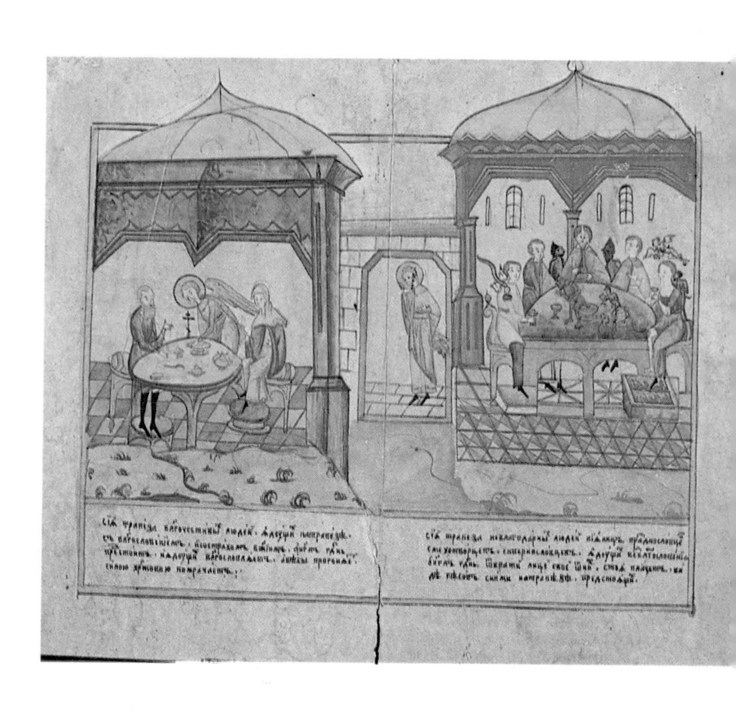

Трапеза благочестивых и нечестивых. Середина XIX в.
Неизвестный художник
(кат. 62)

Meal of the Righteous and Ungodly. Mid-19th century
Anonymous artist
(cat. 62)

К [illegible]

ланграфъ терпяше велие мучение адское. Людвикъ ланграфъ великий мучитель. люди
себе врученны тяжелыми податьми мучаше. многия стяжания нетокмо от церкви отимаше и мно
го зла твораше. Сей егда [illegible] умре. [illegible] два сна от нихъ единъ умре, а другии [illegible]
[illegible]. яко аще кто известно скажет ми о души отца моего приметъ от мене многия дары: оуслыша
[illegible] оубогии человекъ, иже имаше брата каприка чернокнижника, моляше его да сотвори се. онъ рече
брате возлюбленне истинно есть яко прежде с демоны пребыхъ: но оуже давно от него преста. егда
же [illegible] да сотвори, призва диавола иже прежде его вопрошаше чего хощеши. отвеща каприкъ. скажи
ми где есть душа г[оспо]дина ланграфа. отвеща диаволъ. пойди и покажу ти его. каприкъ рече аще [illegible] може
быти безвреда здравия моего. [illegible] диаволъ клятся. [illegible] времени [illegible] его диаволъ
оу врата адски: возреже тамо каприкъ оузре место зело страшно и мучения различна. оузре
демона [illegible] иже над безданою адскою покрытою седяща. и возопи диаволъ [illegible] диавола
кто сей есть его [illegible] тойже отвеща другъ нашъ есть. и [illegible] тобою,
яко ничто има вредити ему. нетокмо показати душа г[оспо]дина его ланграфа. да весть [illegible]
безмерную проповесть. тойже абие притворъ огненный щитъ от бездны на немже седаше. и
трубу медяную [illegible] бездну. и таковъ сильно возтрубив. яко мняшеся всему свету тре
петати, бездна [illegible] нача [illegible] огнь [illegible]: ланграф между пламени [illegible]
[illegible] повыю. иже вопияше. зде есмь ланграфъ окаянный некогда г[оспо]динъ твой [illegible]
да бы никогда родился. каприкъ же рече [illegible] есмь отца твоего да [illegible] могу ему поведати от
[illegible] твоемъ. и аще ли что може ти быти в пользу поведж ми: отвеща пребывание мое есть [illegible]
[illegible] [illegible]. яко сы мои аще [illegible] церквей. нарицающе имъ имена. иже
азъ неправедно себе [illegible] [illegible] [illegible] сотвора пользу души моей.
[illegible] каприкъ [illegible] [illegible] знамение. [illegible]
[illegible] знамение ланграфа [illegible] и возврати диаволъ каприка.

Наказание Людвику ланграфу за грех стяжания. Конец XIX в.
Неизвестный художник
(кат. 64)

Punishment to Landgraf Ludwig for the Sin of Money-grubbing. Late 19th century
Anonymous artist
(cat. 64)

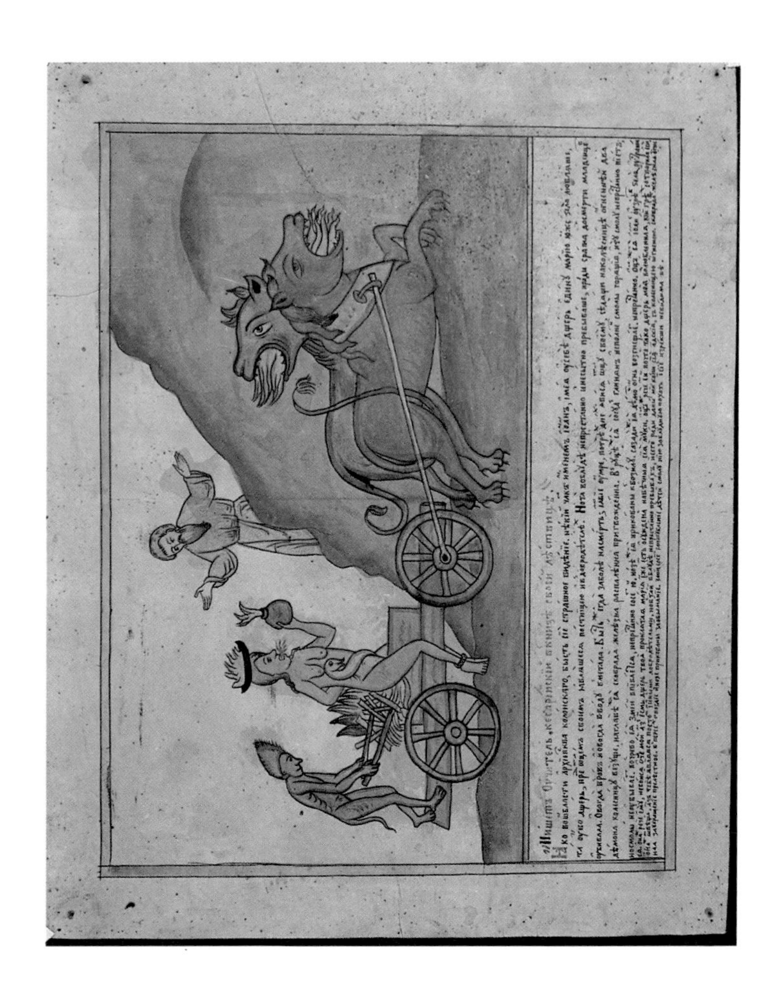

О девице Марии и ее посмертном явлении отцу. Начало XX в.
Художник С. Каликина
(кат. 67)

About Girl Mary and Her Posthumous Appearance to Her Father. Early 20th century
Artist S. Kalikina
(cat. 67)

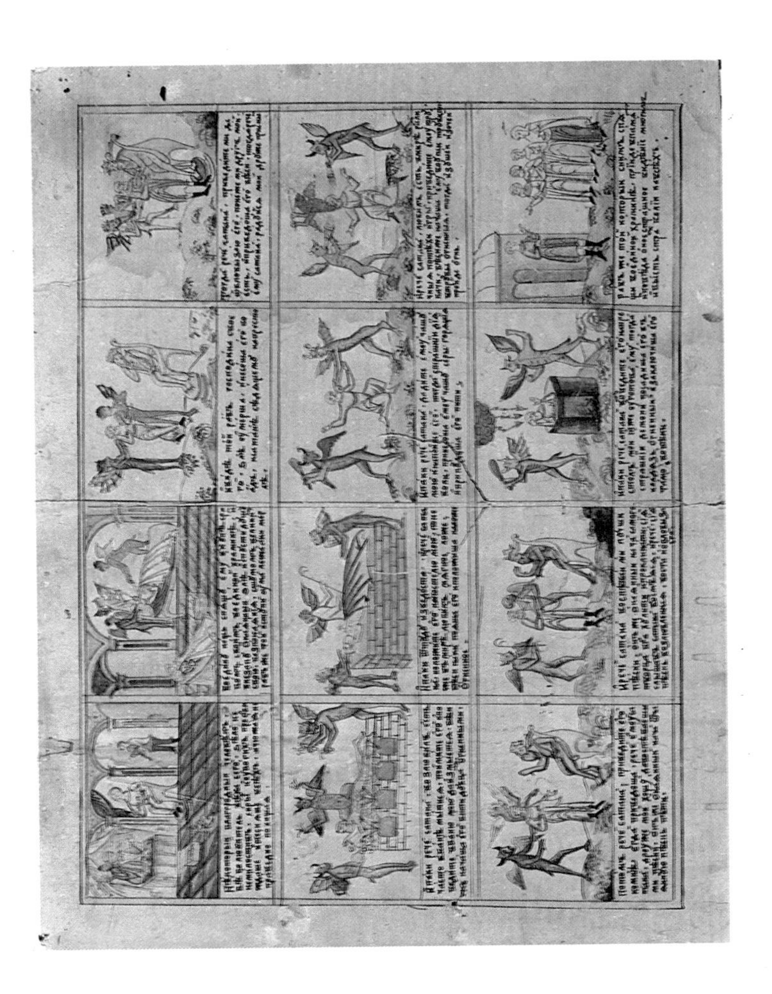

История о «немилостивом человеке, любителе века сего». Середина XIX в.
Неизвестный художник
(кат. 63)

Tale of the Merciless Man, the Lover of Earthly Blessings. Mid-19th century
Anonymous artist
(cat. 63)

Аптека духовная. Середина XIX в.
Неизвестный художник
(кат. 81)

Pharmacy Spiritual. Mid-19th century
Anonymous artist
(cat. 81)

О добрых друзьях двенадцати. Конец XVIII — начало XIX в.
Неизвестный художник
(кат. 31)

About the Twelve Kind Friends. Late 18th-early 19th century
Anonymous artist
(cat. 31)

Стихи «Похвала девственникам». 1836
Неизвестный художник
(кат. 36)

Verses 'Praise to the Virgins'. 1836.
Anonymous artist
(cat. 36)

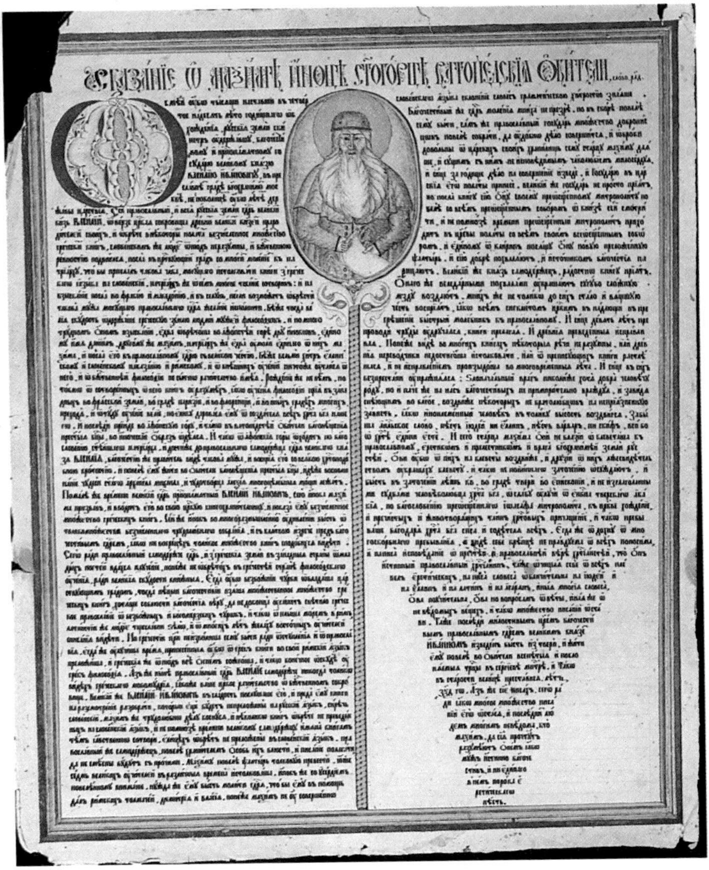

Сказание о Максиме иноце святогорце ватопедския обители, слово рлд.

[illegible]

«Сказание о Максиме иноце святогорце вятопедския обители, слово 134». 1830-е гг.
Неизвестный художник
(кат. 7)

Tale of Monk Maxim, Brother of the Vytopedskays Cloister.
Verse 134. The 1830s
Anonymous artist
(cat. 7)

Песнопение «Во святую и великую среду...». Вторая половина XIX в. Фрагмент
Неизвестный художник

Hymn Glorifying the Holy and Great Wednesday. Second half 19th century. Detail
Anonymous artist

Іеснопение «Во святую и великую реду...». Вторая половина XIX в.
Іеизвестный художник
кат. 37)

Hymn Glorifying the Holy and Great Wednesday. Second half 19th century
Anonymous artist
(cat. 37)

Адам и Ева у дерева познания. Первая половина XIX в.
Неизвестный художник
(кат. 10)

Adam and Eve at the Tree of Knowledge
First half 19th century
Anonymous artist
(cat. 10)

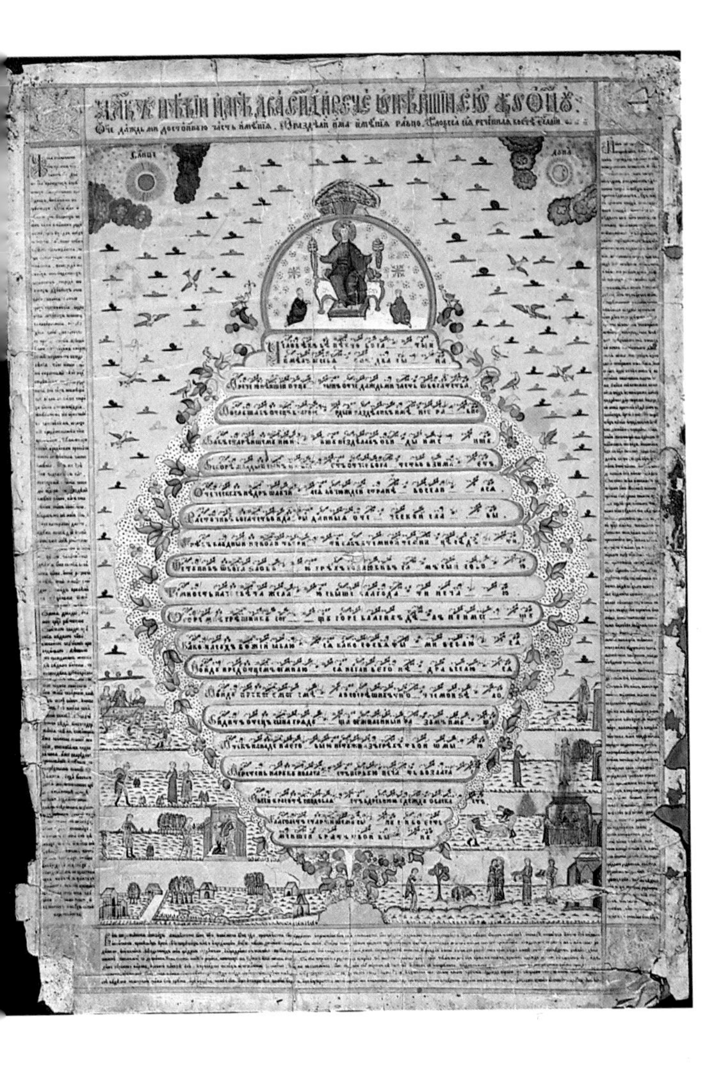

Притча о блудном сыне. Первая половина XIX в.
Неизвестный художник
(кат. 14)

Parable of the Prodigal Son. First half 19th century
Anonymous artist
(cat. 14)

Птицы Сирины. Вторая половина XIX в.
Неизвестный художник
(кат. 21)

Sirins, the Birds of Paradise. Second half
19th century
Anonymous artist
(cat. 21)

Душа чистая. Конец XVIII — начало XIX в.
Неизвестный художник
(кат. 23)

Pure Soul. Late 18th-early 19th century
Anonymous artist
(cat. 23)

Душа чистая. Первая половина XIX в.
Неизвестный художник
(кат. 26)

Pure Soul. First half 19th century
Anonymous artist
(cat. 26)

Аптека духовная. Конец XVIII — начало XIX в.
Неизвестный художник
(кат. 27)

Pharmacy Spiritual. Late 18th-19th century
Anonymous artist
(cat. 27)

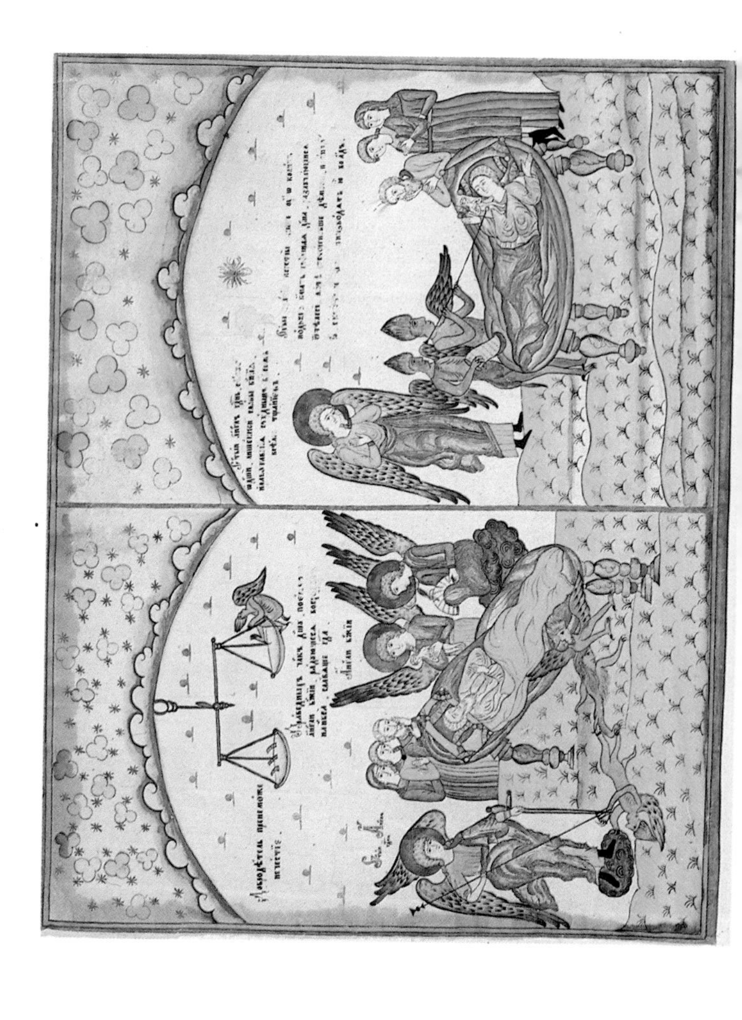

Смерть праведника и грешника. Конец XVIII — начало XIX в.
Неизвестный художник
(кат. 28)

Death of the Righteous Person and the Sinner. Late 18th-early 19th century
Anonymous artist
(cat. 28)

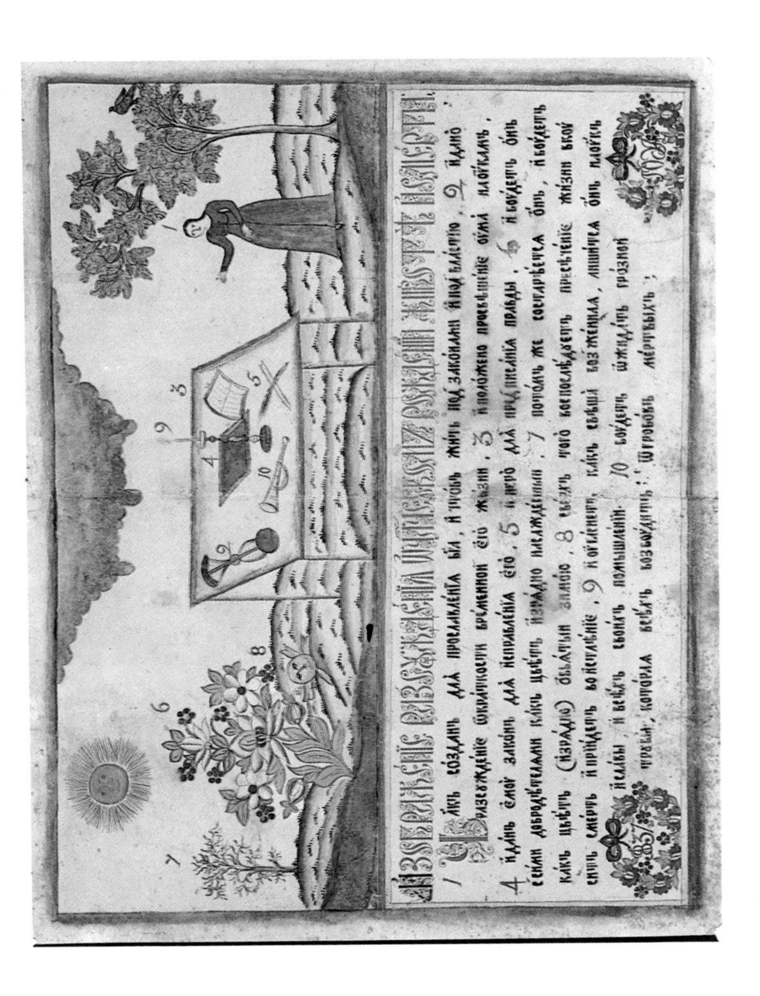

Рассуждение о человеческом рождении, жизни и смерти. 1837
Неизвестный художник
(кат. 29)

Discussing Human Birth, Life and Death. 1837
Anonymous artist
(cat. 29)

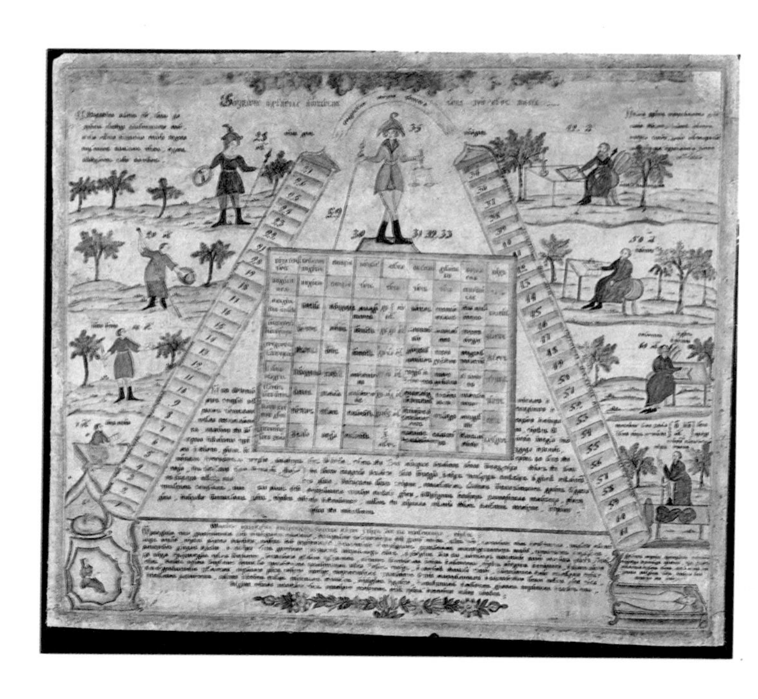

Возрасты жизни человеческой. Середина XIX в.
Неизвестный художник
(кат. 30)

Ages of Human Life. Mid-19th century
Anonymous artist
(cat. 30)

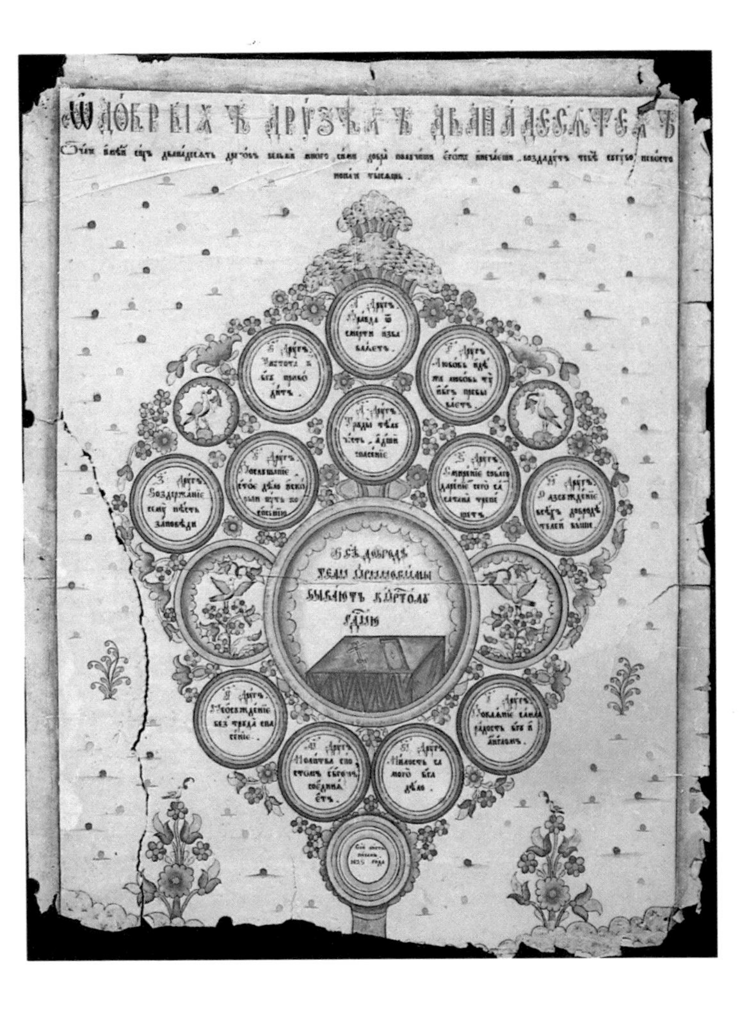

О добрых друзьях двенадцати. 1825
Неизвестный художник
(кат. 32)

About the Twelve Kind Friends. 1825
Anonymous artist
(cat. 32)

Древо разума. 1816
Фрагмент
Неизвестный художник

The Tree of Reason. 1816
Detail
Anonymous artist

Древо разума. 1816
Неизвестный художник
(кат. 35)

The Tree of Reason. 1816
Anonymous artist
(cat. 35)

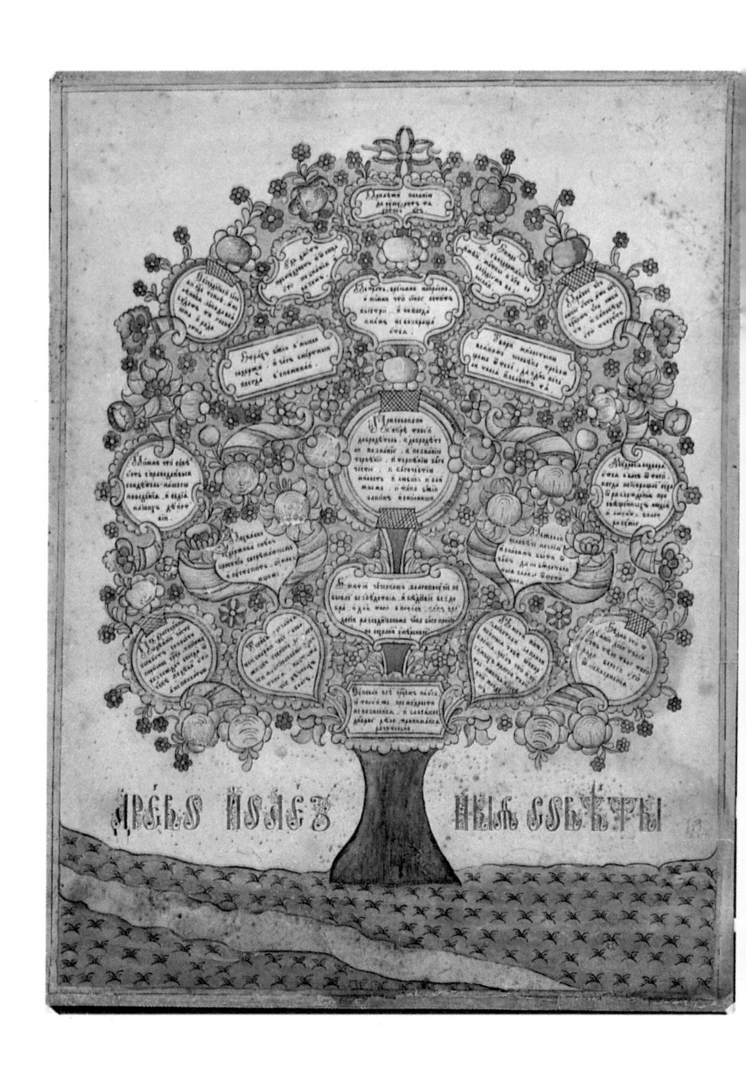

«Древо полезные советы». Первая половина XIX в.
Неизвестный художник
(кат. 33)

The Tree of Useful Advice. First half 19th century
Anonymous artist
(cat. 33)

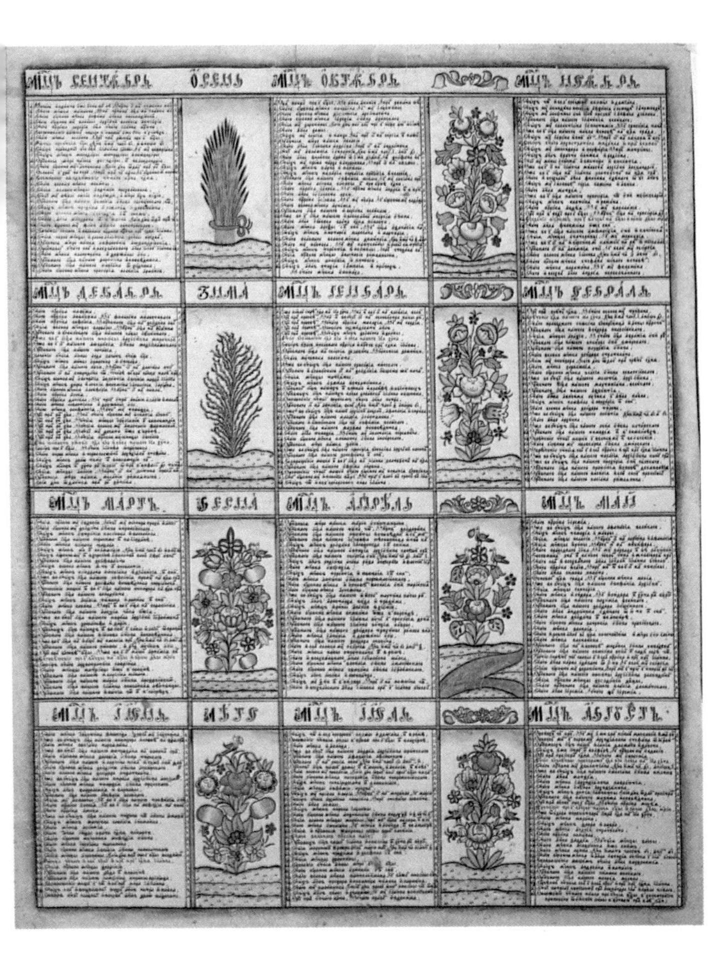

Календарь-месяцеслов. Первая четверть XIX в.
Неизвестный художник
(кат. 38)

Monthly Calendar. First quarter 19th century
Anonymous artist
(cat. 38)

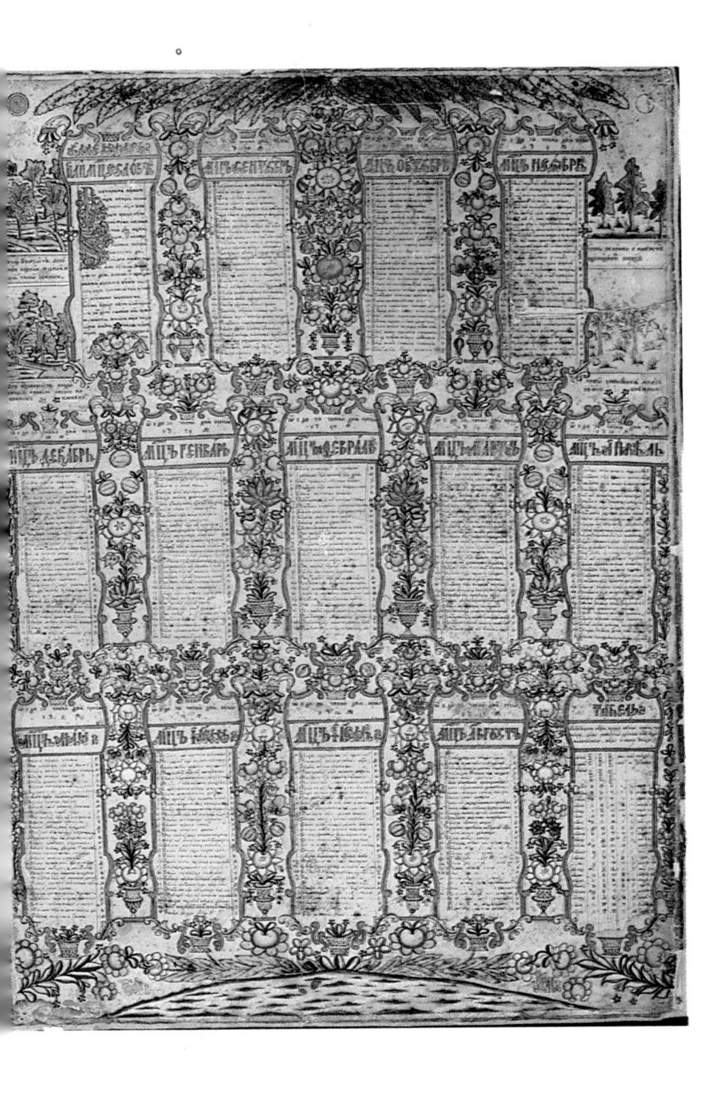

Календарь-месяцеслов. Первая четверть XIX в. Фрагмент
Неизвестный художник

Календарь-месяцеслов. 1830-е гг.
Неизвестный художник
(кат. 40)

Monthly Calendar. First quarter 19th century. Detail
Anonymous artist

Monthly Calendar. The 1830s
Anonymous artist
(cat. 40)

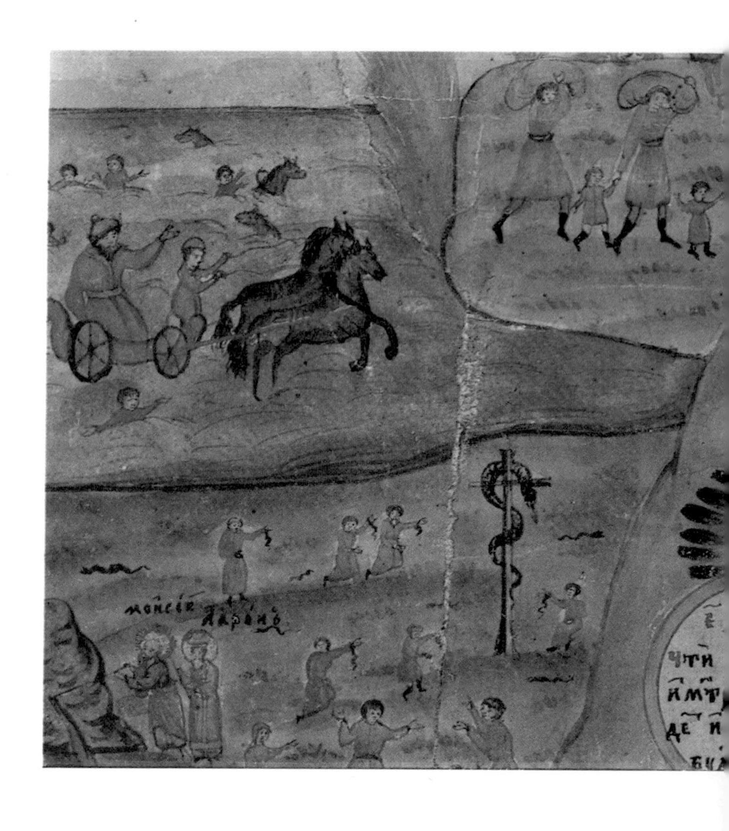

Картинка на сюжеты библейской книги «Исход». Вторая половина XIX в. Фрагмент
Неизвестный художник

Illustration to the Bible, Book "Exodus"
Second half 19th century. Detail
Anonymous artist

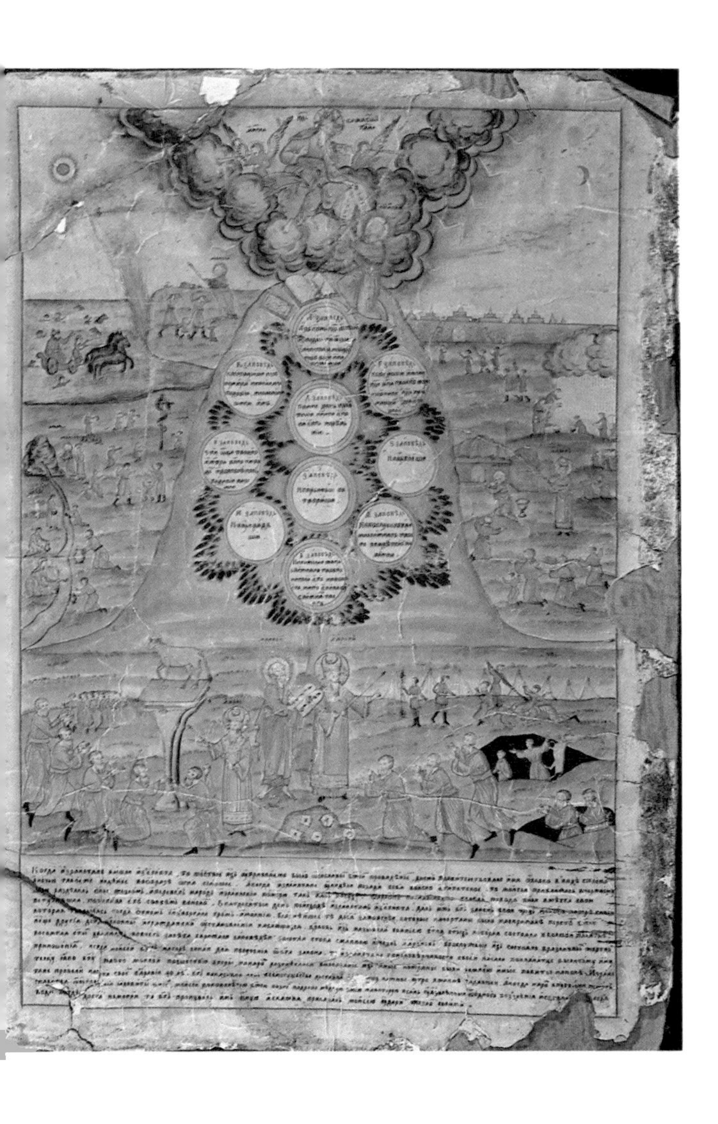

Картинка на сюжеты библейской книги «Исход». Вторая половина XIX в.
Неизвестный художник
(кат. 45)

Illustration to the Bible, Book "Exodus".
Second half 19th century
Anonymous artist
(cat. 45)

Календарь-месяцеслов. Первая половина XIX в.
Неизвестный художник
(кат. 39)

Monthly Calendar. First half 19th centur
Anonymous artist
(cat. 39)

Печать премудрого царя Соломона. Середина XIX в.
Неизвестный художник
(кат. 46)

Seal of the Wise King Solomon. Mid-19th century
Anonymous artist
(cat. 46)

Райская птица Сирин. Первая половина XIX в.
Неизвестный художник
(кат. 47)

Sirin, the Bird of Paradise. First half 19th century
Anonymous artist
(cat. 47)

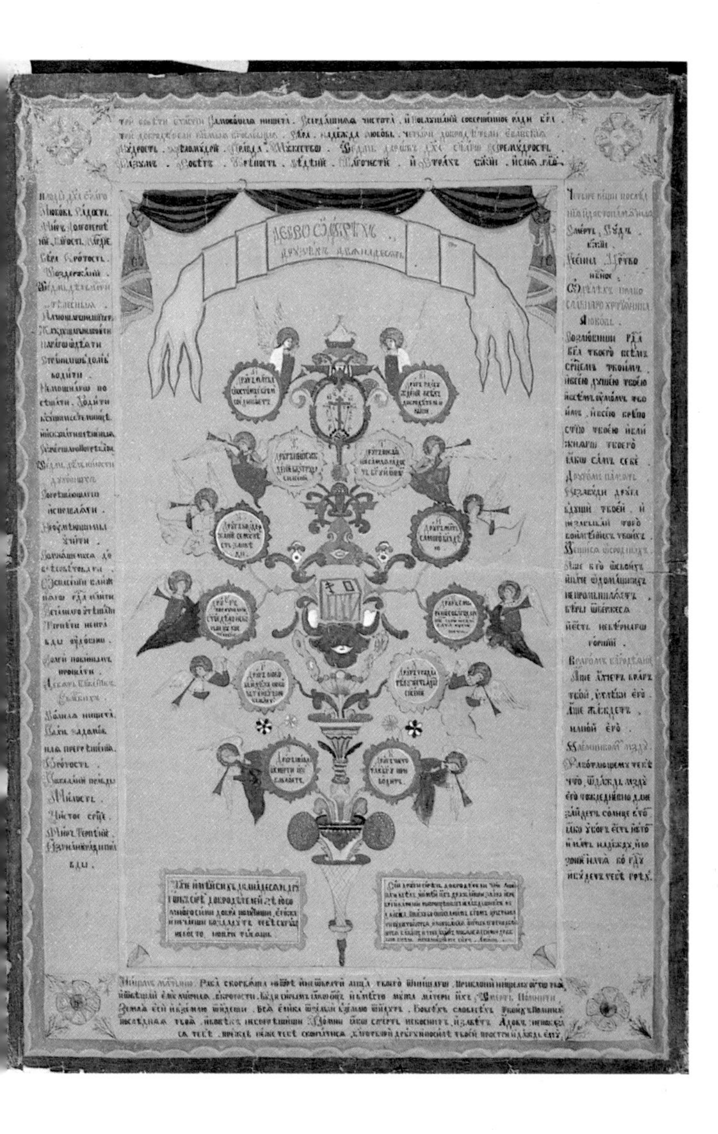

О добрых друзьях двенадцати. Вторая половина XIX в.
Неизвестный художник
(кат. 49)

About the Twelve Kind Friends. Second half 19th century
Anonymous artist
(cat. 49)

Стих, порицающий пьянство. Конец XIX — начало XX в.
Художник П. Петухов
(кат. 52)

Verse Censuring Alcoholism. Late 19th-earl 20th century
Artist P. Petukhov
(cat. 52)

М. Петров, П. Прокопьев. Середина XIX в.
Неизвестный художник
(кат. 54)

M. Petrov, P. Prokopyev. Mid-19th century
Anonymous artist
(cat. 54)

Иллюстрация к тексту 79 псалма Давида о насаждении виноградной лозы. Середина XIX в.
Неизвестный художник
(кат. 55)

Illustration to text 79 of David's Psalm about Planting Vine. Mid-19th century
Anonymous artist
(cat. 55)

Райская птица Сирин. Середина XIX в.
Неизвестный художник
(кат. 57)

Sirin, the Bird of Paradise. Mid-19th century
Anonymous artist
(cat. 57)

Райская птица Сирин. Начало 1820-х гг.
Неизвестный художник
(кат. 58)

Sirin, the Bird of Paradise. The early 1820s
Anonymous artist
(cat. 58)

Изображение рая. Первая половина XIX в.
Неизвестный художник
(кат. 56)

Picture of Paradise. First half 19th century
Anonymous artist
(cat. 56)

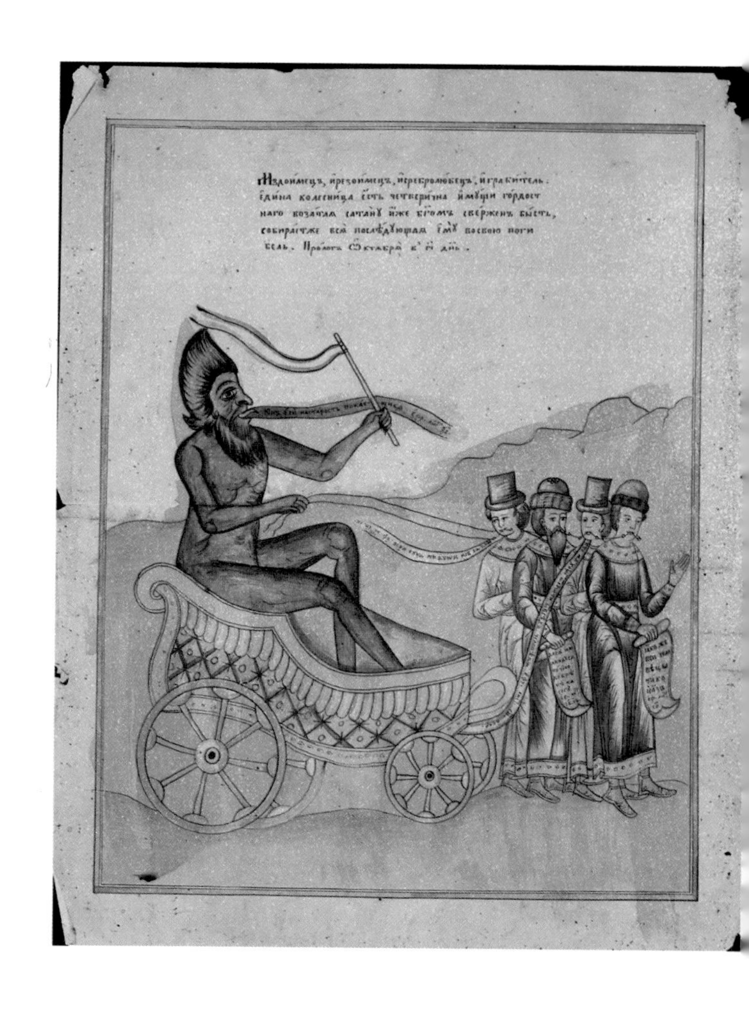

Притча св. Антиоха о мздоимании. Начало XX в.
Художник С. Каликина
(кат. 66)

Parable of St. Antioch about Bribing. Early 20th century
Artist S. Kalikina
(cat. 66)

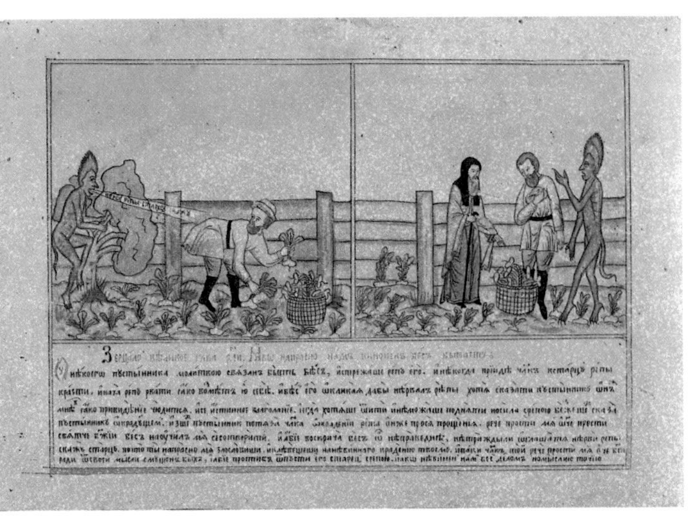

Иллюстрация к притче о краже репы. 1905
Художник С. Каликина
(кат. 69)

Illustration to the Parable about the Stolen Turnip. 1905
Artist S. Kalikina
(cat. 69)

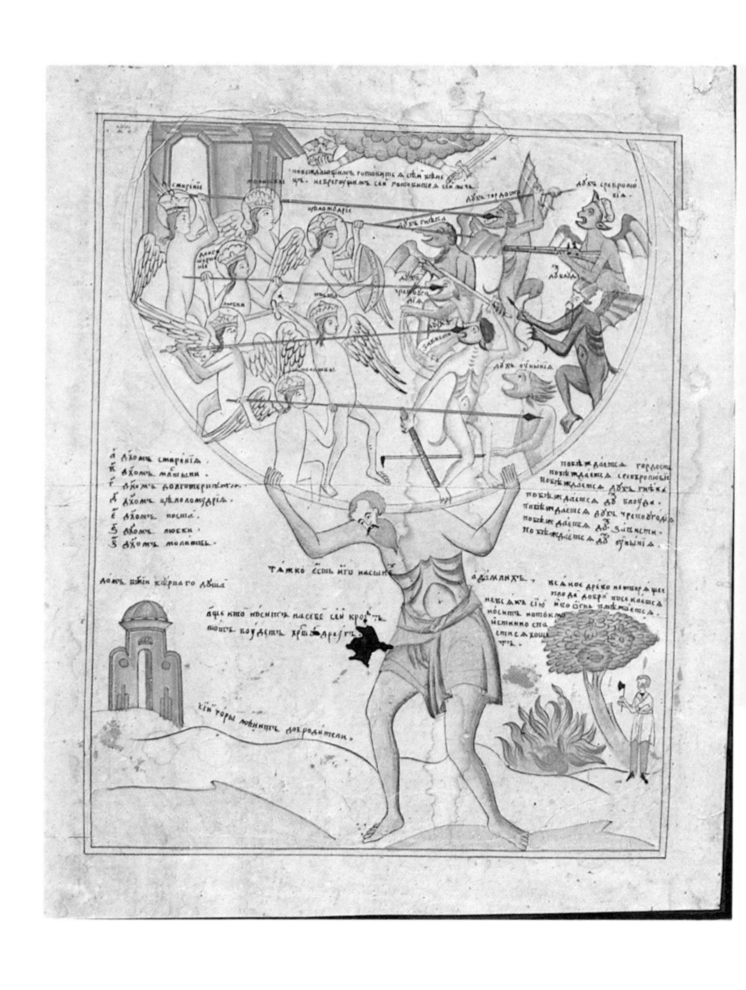

«Тяжко есть иго на сынех адамлих». Середина XIX в.
Неизвестный художник
(кат. 73)

Tyazko est igo na synekh adamlik. Mid-19th century
Anonymous artist
(cat. 73)

Адское чудовище. Середина XIX в.
Неизвестный художник
(кат. 74)

Serpent from the Hell. Mid-19th century
Anonymous artist
(cat. 74)

Иллюстрация к поучению Иоанна Златоуста о крестном знамении. Конец 1840 — начало 1850-х гг.
Неизвестный художник
(кат. 75)

Illustration to Sermon by St. John Chrysostom about the Sign of the Cross. Late 1840s-early 1850s
Anonymous artist
(cat. 75)

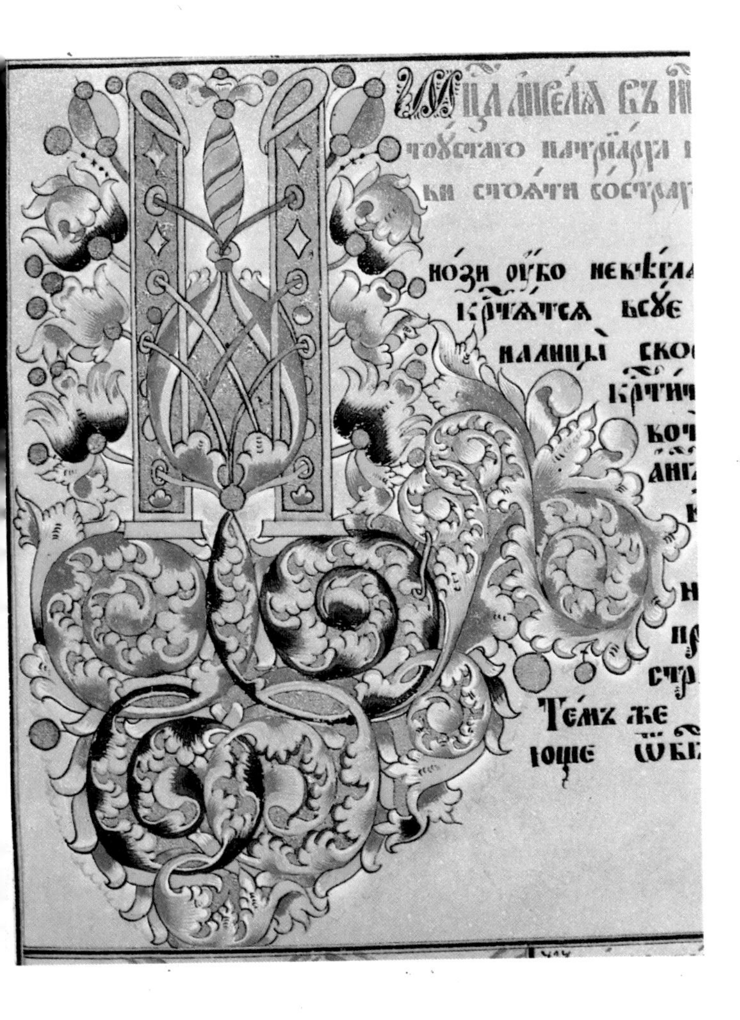

Иллюстрация к поучению Иоанна Златоуста о крестном знамении. Конец 1840 — начало 1850-х гг. Фрагмент
Неизвестный художник

Illustration to Sermon by St. John Chrysostom about the Sign of the Cross. Late 1840s-early 1850s. Detail
Anonymous artist

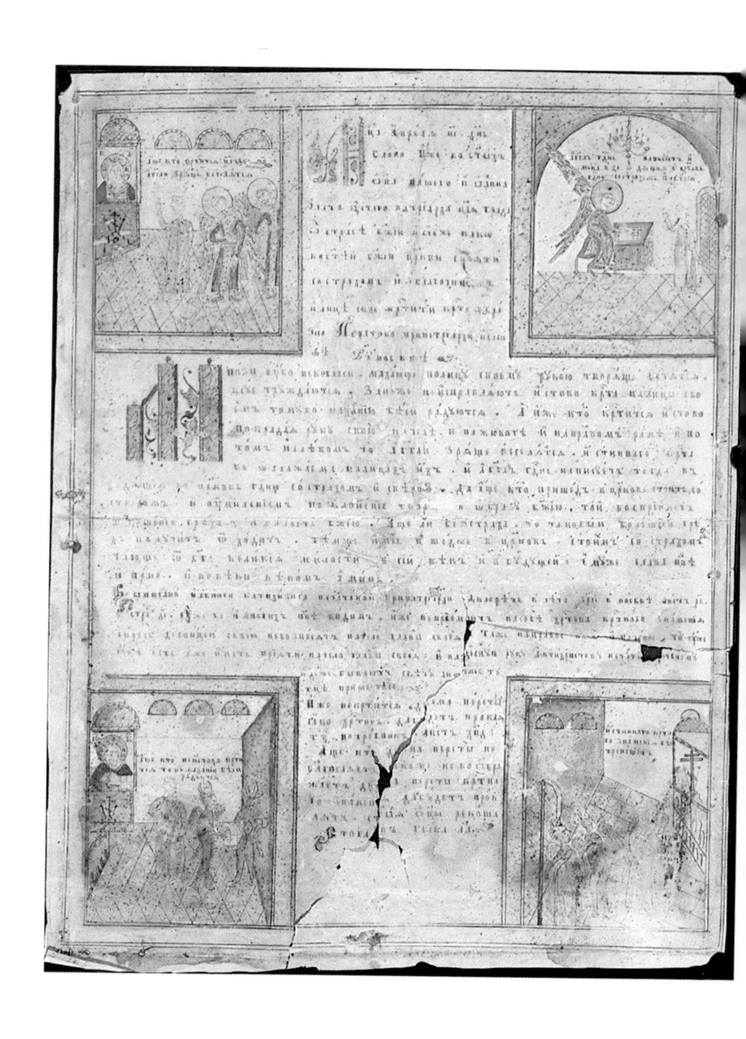

Иллюстрация к поучению Иоанна Златоуста о крестном знамении. Вторая половина XIX в.
Неизвестный художник
(кат. 77)

Illustration to Sermon by St. John Chrysostom about the Sign of the Cross. Second half 19th century
Anonymous artist
(cat. 77)

Иллюстрация к поучению Иоанна Златоуста о крестном знамении. Середина XIX в.
Неизвестный художник
(кат. 76)

Illustration to Sermon by St. John Chrysostom about the Sign of the Cross. Mid-19th century
Anonymous artist
(cat. 76)

Архангел Михаил, повергающий дракона. 1854
Неизвестный художник
(кат. 80)

Archangel Michael Defeating the Dragon. 1854
Anonymous artist
(cat. 80)

Архангел Михаил, повергающий дракона. 1854
Фрагмент
Неизвестный художник

Archangel Michael Defeating the Dragon. 1854
Detail
Anonymous artist

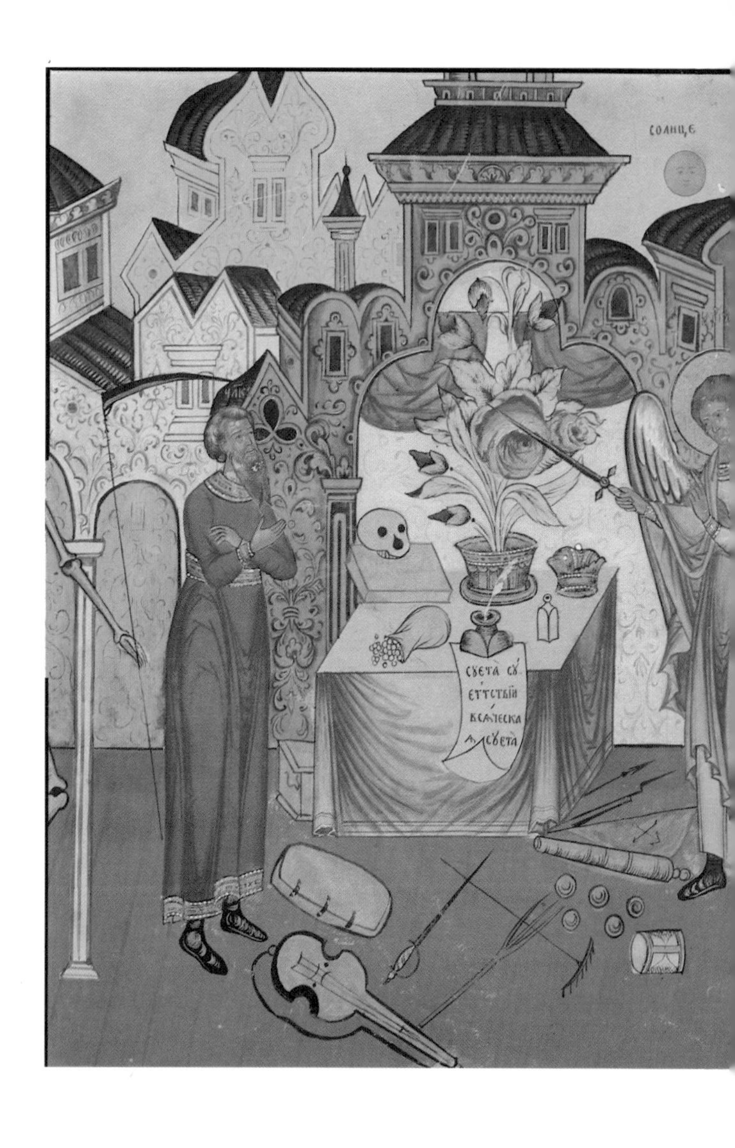

Иллюстрация к стихам С. Яворского «Взирай с прилежанием, тленный человече...». Середина XIX в. Фрагмент
Неизвестный художник

Illustration to Verses by S. Yavorsky 'Look, Thou, Perishable Human, Look with Care'. Mid-19th century. Detail
Anonymous artist

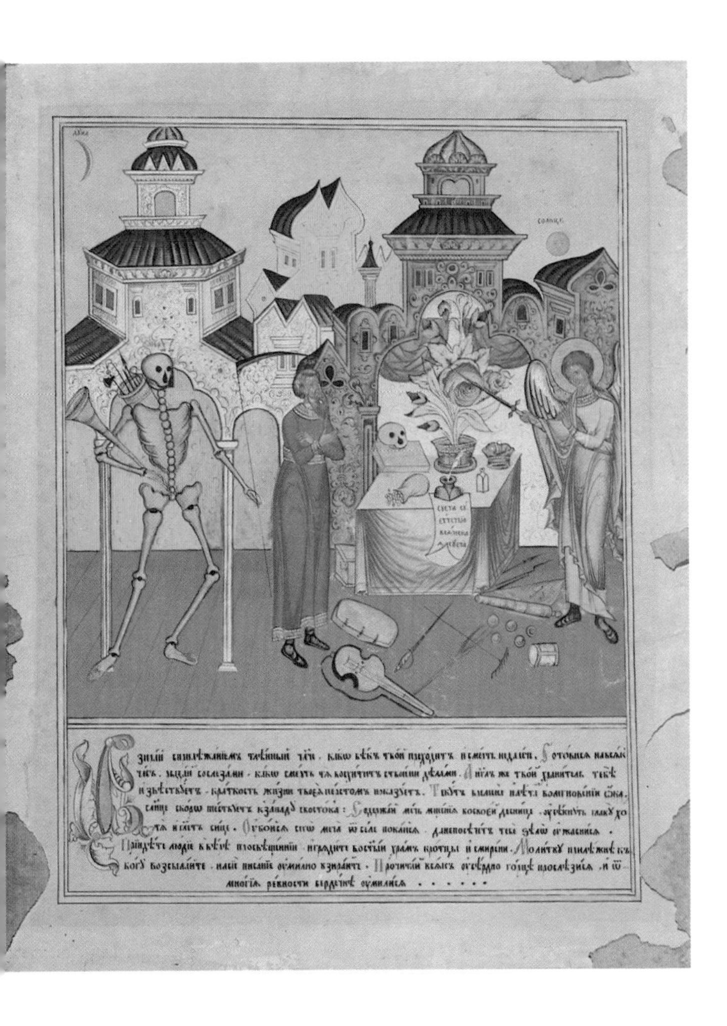

Иллюстрация к стихам С. Яворского «Взирай с прилежанием, тленный человече...». Середина XIX в.
Неизвестный художник
(кат. 83)

Illustration to Verses by S. Yavorsky 'Look, Thou, Perishable Human, Look with Care'. Mid-19th century
Anonymous artist
(cat. 83)

Аптека духовная. Вторая половина XIX в.
Художник И. Собольщиков
(кат. 82)

Pharmacy Spiritual. Second half 19th century
Artist I. Sobolshchikov
(cat. 82)

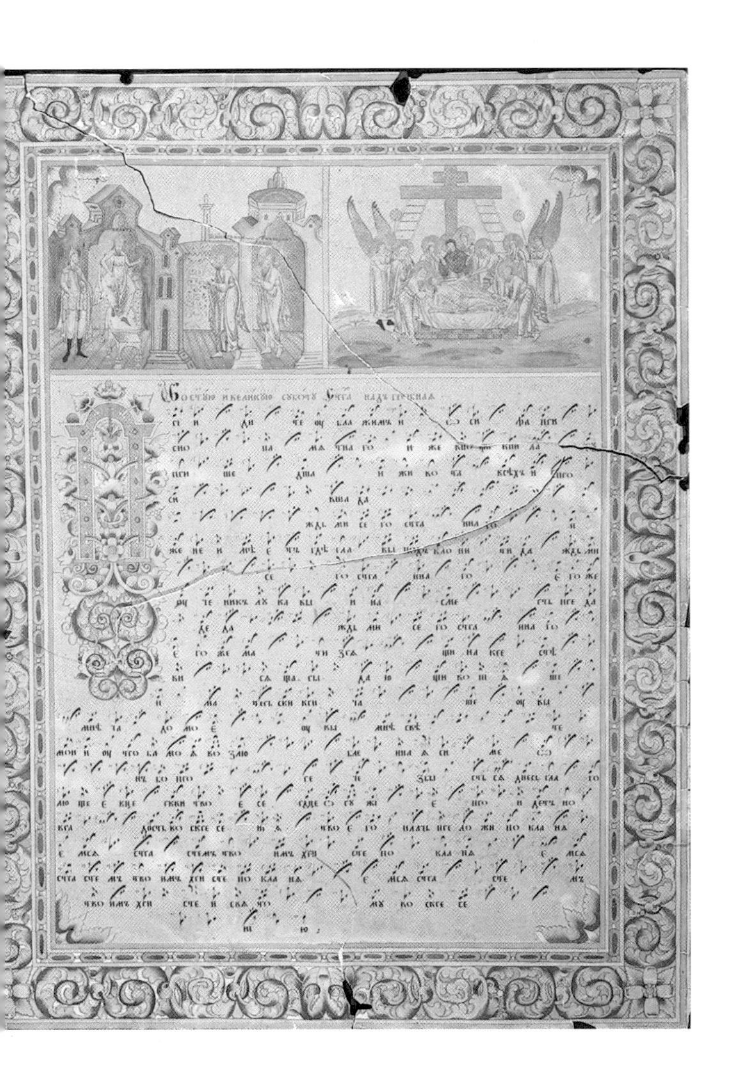

Песнопение «Во святую и великую суб-боту...». Вторая половина XIX в. Неизвестный художник (кат. 84)

Hymn 'For the Holy and Great Saturday'. Second half 19th century Anonymous artist (cat. 84)

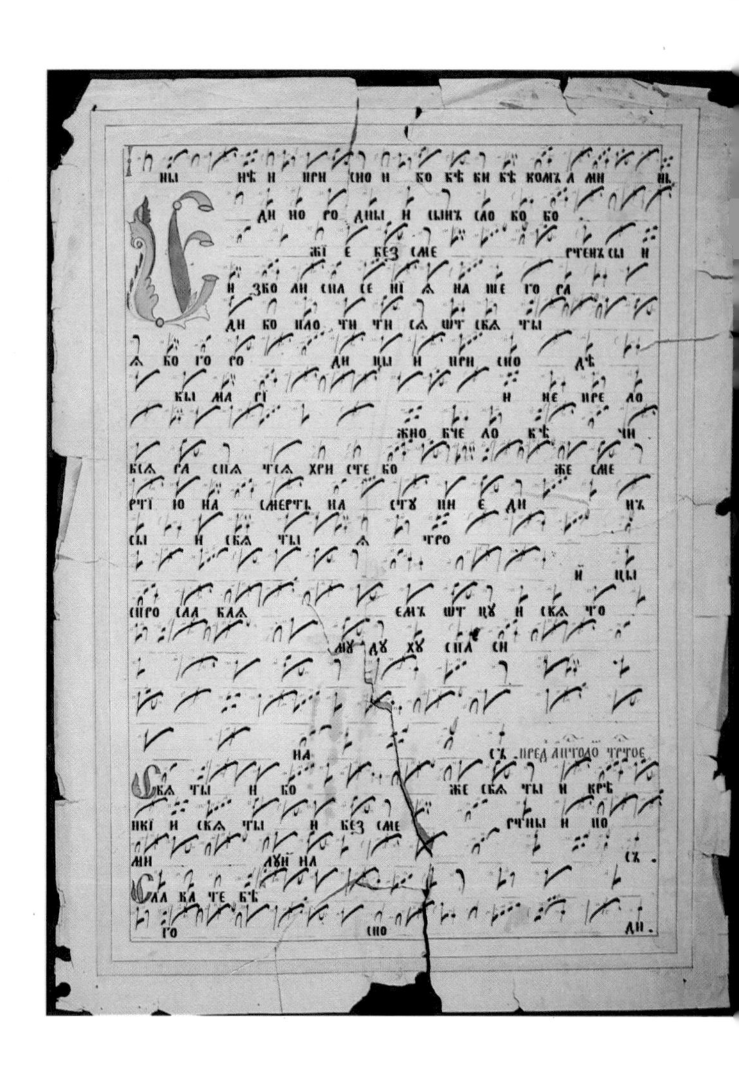

Песнопение «Единородный Сын Слово Божие». Конец XIX в.
Неизвестный художник
(кат. 85)

Hymn 'The Only Begotten Son, Who Came from the Father, the Word of God'. Late 19th century
Anonymous artist
(cat. 85)

Календарная стенка. Середина XIX в.
Неизвестный художник
(кат. 86)

Wall Calendar. Mid-19th century
Anonymous artist
(cat. 86)

Горовосходный холм. Конец XIX в.
Неизвестный художник
(кат. 87)

'A Guide for Mounting Hills'. Late 19th century
Anonymous artist
(cat. 87)

Иллюстрация к поучению о правильном крестном знамении. Вторая половина XIX в.
Неизвестный художник
(кат. 89)

Illustration to the Sermon abour the Right Sign of the Cross. Second half 19th century
Anonymous artist
(cat. 89)

Иллюстрация к библейской книге «Эсфирь». Вторая половина XIX в.
Неизвестный художник
(кат. 90)

Illustration to the Bible, Book Esther'.
Second half 19th century
Anonymous artist
(cat. 90)

Иллюстрация к библейской книге «Эсфирь». Вторая половина XIX в.
Неизвестный художник
(кат. 91)

Illustration to the Bible, Book 'Esther'.
Second half 19th century
Anonymous artist
(cat. 91)

Иллюстрация к библейской книге «Эсфирь». Вторая половина XIX в. Фрагмент
Неизвестный художник

Illustration to the Bible, Book Еsther'. Second half 19th century. Detail
Anonymous artist

Даниил Викулов. Конец XIX в.
Неизвестный художник
(кат. 95)

Daniil Vikulov. Late 19th century
Anonymous artist
(cat. 95)

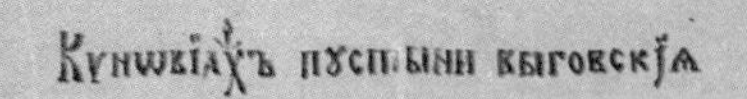

Андрей Денисов. Конец XIX в.
Неизвестный художник
(кат. 97)

Andrei Denisov. Late 19th century
Anonymous artist
(cat. 97)

Д. Викулов и П. Прокопьев с изображением «прекрасной пустыни». 1810-е гг.
Неизвестный художник
(кат. 98)

D. Vikulov and P. Prokopyev with the Picture of the Fine Desert. The 1810s
Anonymous artist
(cat. 98)

А. Денисов и С. Денисов с изображением Выговского общежительства. 1810-е гг.
Неизвестный художник
(кат. 99)

A. Denisov and S. Denisov with the Picture of the Vygodsky Commune. The 1810s
Anonymous artist
(cat. 99)

атриарх Гермоген. Конец XIX в.
еизвестный художник
кат. 107)

Patriarch Hermogen. Late 19th century
Anonymous artist
(cat. 107)

Патриарх Филарет. Конец XIX в.
Неизвестный художник
(кат. 108)

Patriarch Filaret. Late 19th century
Anonymous artist
(cat. 108)

Патриарх Иосиф. Конец XIX в.
Неизвестный художник
(кат. 110)

Patriarch Joseph. Late 19th century
Anonymous artist
(cat. 110)

Пять патриархов русской церкви. Вторая половина XIX в.
Неизвестный художник
(кат. 111)

Five Patriarchs of the Russian Church. Second half 19th century
Anonymous artist
(cat. 111)

Максим Грек. Начало XIX в.
Неизвестный художник
(кат. 114)

St. Maxim the Greek. Early 19th century
Anonymous artist
(cat. 114)

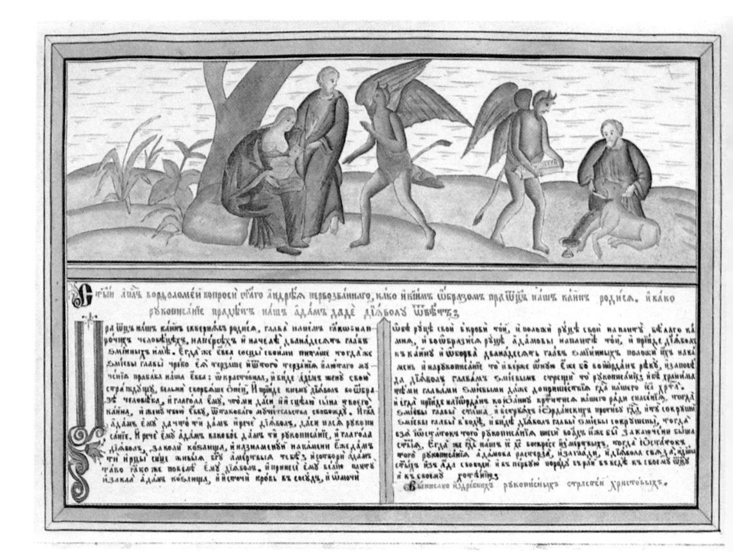

Иллюстрация к апокрифу о рождении Каина. 1880-е гг.
Неизвестный художник
(кат. 117)

Illustration to the Apocrytha about the Birth of Cain. The 1880s
Anonymous artist
(cat. 117)

Давыдово покаяние. Середина XIX в.
Неизвестный художник
(кат. 119)

The Repentance of David. Mid-19th century
Anonymous artist
(cat. 119)

Монархический колосс. Начало XIX в.
Неизвестный художник
(кат. 120)

Monarchical Colossus. Early 19th century
Anonymous artist
(cat. 120)

Явление Иоанну Богослову ангела с книгой. Начало XIX в.
Неизвестный художник
(кат. 127)

The Appearance of the Angel with a Book to St. John the Theologian. Early 19th century
Anonymous artist
(cat. 127)

Райская птица Сирин. Середина XIX в.
Неизвестный художник
(кат. 128)

Sirin, the Bird of Paradise. Mid-19th century
Anonymous artist
(cat. 128)

Райская птица Сирин. Середина XIX в.
Неизвестный художник
(кат. 129)

Sirin, the Bird of Paradise. Mid-19th century
Anonymous artist
(cat. 129)

Райская птица Алконост. Вторая половина XIX в.
Неизвестный художник
(кат. 134)

Alconost, the Bird of Paradise. Second half 19th century
Anonymous artist
(cat. 134)

Смерть св. Феодоры и видение мытарств души. Вторая половина XIX в.
Неизвестный художник
(кат. 137)

The Death of St. Theodora and the Vision of the Ordeals of the Soul. Second half 19th century
Anonymous artist
(cat. 137)

Смерть св. Феодоры и видение мытарств души. Вторая половина XIX в.
Неизвестный художник
(кат. 138)

The Death of St. Theodora and the Vision of the Ordeals of the Soul. Second half 19th century
Anonymous artist
(cat. 138)

Аптека духовная. Вторая половина XIX в.
Неизвестный художник
(кат. 140)

Pharmacy Spiritual. Second half 19th century
Anonymous artist
(cat. 140)

Таблица исчисления праздников, дней, часов, фаз луны и т. д. Середина XIX в.
Неизвестный художник
(кат. 147)

Table for Determining the Feasts, Days, Hours and Phases of the Moon. Mid-19th century
Anonymous artist
(cat. 147)

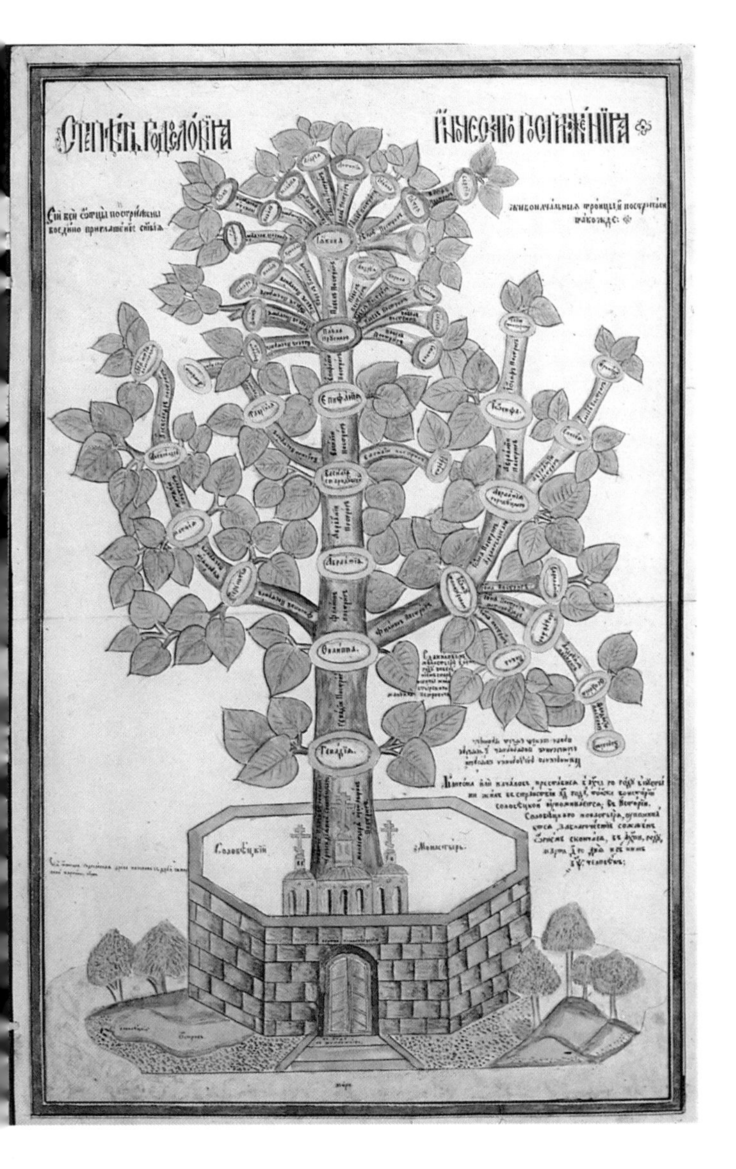

Родословие Соловецкого монастыря. 1870-е гг.
Неизвестный художник
(кат. 148)

The Story of the Solovki Monastery. The 1870s
Anonymous artist
(cat. 148)

Распятие с предстоящими. Конец XIX в.
Неизвестный художник
(кат. 150)

The Crucifixion with Selected Saints. Late 19th century
Anonymous artist
(cat. 150)

КАТАЛОГ
A CATALOGUE

ПОЯСНЕНИЯ К КАТАЛОГУ

Настоящий каталог ставит своей целью дать краткие научные сведения о рисованных картинках, хранящихся в Государственном Историческом музее. Каталожные описания сопровождаются пояснениями сюжетов.

Материал в каталоге расположен по центрам производства листов. Внутри каждого центра рисованные картинки сгруппированы по сюжетам, а при наличии нескольких листов с одинаковым сюжетом в хронологическом порядке. В случаях существования аналогичных сюжетов в печатном лубке или в миниатюрах рукописей даются ссылки на источники.

Описание построено по следующему принципу:

1. Название
2. Время создания
3. Автор
4. Техника исполнения
5. Размеры листов (в сантиметрах)
6. Наличие водяных знаков на бумаге
7. Заглавия, надписи, тексты
8. Шифры хранения
9. Источник поступления (в тех случаях, когда это возможно установить)
10. Публикация, литература

Тексты приводятся в сокращении: даются первая и последняя строки. В случае утраты части строк из-за плохой сохранности листа пропущенные слова заменяются многоточием. Титла раскрыты, выносные буквы введены в строку. Знаки пунктуации проставлены в соответствии с современными правилами. Заглавные буквы текста сохраняются, восстанавливаются заглавные буквы в словах, где это требуется по правилам современной орфографии (имена собственные, географические названия). Числа, обозначенные буквами, переведены в арабские цифры. Старославянские буквы, отсутствующие в современном алфавите (оу, омега, кси, пси и т. д.), передаются в современной транскрипции.

1

ПРОИЗВЕДЕНИЯ ПОМОРСКОГО ЦЕНТРА

1. НИКИФОР СЕМЕНОВ И СЕМЕН ТИТОВ. Середина XIX в.
Неизвестный художник
Чернила, темпера. 13,4×43,2
—

Инв. № 42949/1529
Поступило из коллекции А. П. Бахрушина в 1905 г.
Слева изображен Н. Семенов (1684—1774) — шестой киновиарх Выговского монастыря (1759—1774), справа С. Титов (? — 1791) — учитель женской части монастыря — Лексинской обители.

LOUBOKS OF THE POMORYE CENTRE

NIKIFOR SEMYONOV AND SEMYON TITOV. Mid-19th century
Anonymous artist
Ink, tempera. 13.4×43.2
—

Acq. No. 42949/1529
From the A. P. Bakhrushin collection (1905)
Nikifor Semyonov (1684–1774), the sixth kinoviarch of the Vygovsky Monastery (1759–1774) is depicted on the left, Semyon Titov (?–1791), a teacher at the women's part of the monastery – the Leksinskaya Cloister – on the right.

2. ДАНИИЛ ВИКУЛОВ, АНДРЕЙ ДЕНИСОВ, СЕМЕН ДЕНИСОВ, ПЕТР ПРОКОПЬЕВ. Начало XIX в.
Неизвестный художник
Чернила, темпера. 43×34,1
Бумага с филигранью А О с датой 1802 фабрики Александра Ольхина
Клепиков I, № 57
Инв. № 52789 И Ш хр 24394
Приобретено у А. А. Бахрушина в 1921 г.
Даниил Викулов (1653—1733) — дьячок Шунгского погоста (Повенецкий уезд), в конце 1680-х гг. ушел в выговские леса на «пустынное житие». В 1691 г. к нему пришел Андрей Денисов. Викулов и Денисов стали главными инициаторами создания Выговского общежительства, они разработали вопросы его внутреннего устройства. С 1695 по 1703 г. Викулов был киновиархом монастыря, затем передал эту должность А. Денисову, но продолжал осуществлять духовное руководство. Гравированный портрет Викулова был создан в XVIII в.: Ровинский II, т. 1, с. 497. Оригиналом гравюры послужила поморская картинка. Портреты Викулова известны в миниатюрах рукописей: ГПБ, ф. 345, № 4, л. 364; ИРЛИ, собр. Перетца № 625, л. 9 об. Миниатюры обнаруживают большое сходство с рисованными картинками.
Андрей Денисов (1674—1730) — видный старообрядческий писатель, идеолог беспоповщинского согласия. Происходил из обедневшего рода князей Мышецких. (Писал свою фамилию — Вторушин, как и все члены его семьи, в исследовательской литературе его принято называть Денисов.) Был настоятелем Выговского монастыря с 1703 по 1730 г. Автор большого количества сочинений, в том числе «Поморских ответов».
Гравированный портрет А. Денисова был создан в XVIII в.: Ровинский II, т. 1,

2

с. 657. Портреты А. Денисова известны в миниатюрах рукописей: ГПБ, ф. 345 № 4, л. 18 об.; ГИМ, Увар. 817, л. 4 об.; ИРЛИ, собр. Перетца № 625, л. 10. В миниатюрах много сходства с рисованными листами.
Семен Денисов (1682—1741) — брат Андрея Денисова, сменивший его на посту киновиарха (1730—1741), видный старообрядческий писатель, историк и идеолог.
Портреты С. Денисова известны в миниатюрах рукописей: ГИМ, Щук. 837, л. 1 об.; ИРЛИ, собр. Перетца № 625, л. 11. Миниатюры близки к рисованным листам.
Петр Прокопьев (1673—1719) — один из главных сотрудников Д. Викулова и братьев Денисовых в организации Выговского монастыря. Был назначен эклесиархом обители (осуществлял наблюдение за правильным устройством и ходом богослужения). Принимал участие в составлении «Поморских ответов».
Портреты П. Прокопьева известны в миниатюрах рукописей: ИРЛИ, собр. Перетца № 625, л. 10 об. По манере миниатюра близка к рисункам.

DANIIL VIKULOV, ANDREI DENISOV, SEMYON DENISOV, PYOTR PROKOPYEV. Early 19th century
Anonymous artist
Ink, tempera. 43×34.1
Paper with the A O water-mark dated 1802 from the Alexander Olkhin's factory
Klepikov I, No. 57
Acq. No. 52789 И Ш, 24394
Purchased from A. A. Bakhrushin in 1921
Daniil Vikulov (1653–1733), a reader of the Shungsky Graveyard (Povenetsky District), left the place in the 1680s to live in Vygovsky woods in isolation. In 1691 Andrei Denisov followed him. Vikulov and Denisov were the founders of the Vygovsky Commune and worked out its regulations. In the period between 1695 and 1703 Vikulov was the monastery's kinoviarch, then Denisov succeeded to the post but Vikilov remained the commune's spiritual leader. Engraved portrait of Vikilov dates to the 18th century (Rovinsky I., v. I, p. 497). A picture from Pomorye served as an original for the portrait. Vikilov's portraits are also found in the manuscripts: State Public Library, f. 345, No. 4,l. 364, the Institute of Russian Literature, Leningrad, Perets col., No. 625, l. 9. reverse. The miniatures show a definite affinity to the prints.
Andrei Denisov (1674–1730) was a noted old-believers writer and an ideologist of the bezpopovtsy heresy of old-believers. He was the descendant of the impoverished family of the Princes Myshetsky and signed his family name as Vtorushin like all other members of his family, but in research literature he is customary referred to as Denisov. He was Father-Superior of the Vygovsky Monastery from 1703 to 1730 and left a great deal of writings including "Pomorye Answers".
Engraved portrait of Denisov was done in the 18th century: Ronivsky I., v. I, p. 657. His portraits are also met in the manuscripts: State Public Library, f. 345, No. 4, l. 18, reverse, the Historical Museum, Uvar. 817, l.

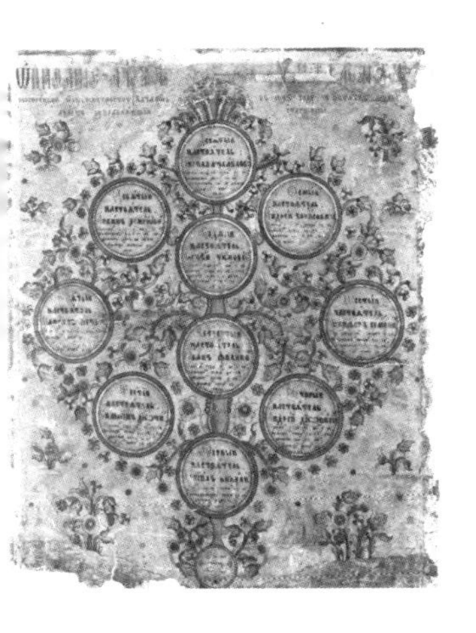

5

4, reverse, the Institute of Russian Literature, Leningrad, Perets col., No. 625, l. 10. The miniatures reveal close affinity to the prints.
Semyon Denisov (1682–1741), Andrei Denisov's brother,replaced him at the post of the monastery's kinoviarch (1730–1741), became famous as a noted old-belivers writer, historian and ideologist. S. Denisov's portraits are met in the manuscripts: The State Historical Museum, Shchuk. 837, l. I, reverse; the Institute of Russian Literature, Perets col., No. 625, l. I. The miniatures resemble the prints.
Pyotr Prokopyev (1673–1719), one of the most devoted followers of D. Vikulov and Denisov Brothers in organising the Vygovsky Monastery, was appointed ecclesiarch and supervised the divine service. He also took part in composing the "Pomorye Answers". Prokopyev's portraits are met in the manuscripts: The Institute of Russian Literature, Perets Col. No. 625, l. 10 reverse. In treatment the subject the miniatures are close to the prints.

3. РОДОСЛОВНОЕ ДЕРЕВО А. и С. ДЕНИСОВЫХ. Первая половина XIX в.
Неизвестный художник
Чернила, темпера. 84,5×59,5
Название: «Древо рода Андрея и Семена Дионисиевичев господ Вторушиных». По обеим сторонам от древа — текст, слева 17 строк, справа 19 строк: «Древо написания сего нарицаемое... Израилю, и яко садие при реках».
Инв. № 23812
Поступило из коллекции П. И. Щукина в 1905 г.
На дереве, растущем из сосуда, который держит человеческая рука, помещены в кругах портреты основателей Выгорецкого общежительства и членов семьи Денисовых-Вторушиных. В нижней части листа изображены Выговский и Лексинский монастыри.
FAMILY TREE OF A. AND S. DENISOVS.
First half 19th century
Anonymous artist
Ink, tempera. 84.5×59.5
—
The text of 17 lines to the left and 19 lines to the right frame the Tree.
Acq. No. 23812
From the P. I. Shchukin collection (1905)
Portraits of the founders of the Vygoretsky Commune and members of the Denisov-Vtorushin family are placed on a tree growing from the vessel held by a human hand. The pictures of the Vygovsky and Leksinsky monasteries are in the lower part of the sheet.

4. ДЕСЯТЬ НАСТОЯТЕЛЕЙ ВЫГОРЕЦКОГО ОБЩЕЖИТЕЛЬСТВА. 1826
Неизвестный художник

6

Чернила, темпера. 59×48,3

—

Название вверху: «Описание лет жития их». Ниже надпись: «Выгорецкое общежительство началось в 1695 году, в октябре м(еся)цы, а в нем управляющии старшины».

В основании дерева в круге надпись: «Сей лист писан 1826 года»

Инв. № 52789 И Ш хр 12844

Приобретено у А. А. Бахрушина в 1921 г.

На дереве в 10 кругах помещены имена первых настоятелей Выгорецкого монастыря и сведения о годах их жизни и времени исполнения должности киновиарха.

TEN DEANS OF THE VYGORETSKY COMMUNE. 1826

Anonymous artist

Ink, tempera. 59×48.3

—

There is an inscription in a circle at the foot of a tree "The sheet was painted in the year of 1826".

Acq. No. 52789 И Ш, 12844

Purchased from A. A. Bakhrushin in 1921

Ten circles situated on the branches of the tree carry the names of the first deans of the Vygoretsky Monastery, information concerning the dates of their birth and death and the time they were the kinoviarches of the monastery.

5. ИЗОБРАЖЕНИЕ НЕКОТОРЫХ АТРИБУТОВ ОБРЯДНОСТИ И СИМВОЛИКИ, ПРИНЯТЫХ В ОФИЦИАЛЬНОЙ ПРАВОСЛАВНОЙ ЦЕРКВИ. Конец XVIII — начало XIX в.

Неизвестный художник

Чернила, темпера. 31,7×19,5

Бумага с филигранью GR[под короной]

E. Heawood, № 3713. 1790-е гг.

Инв. № 42949 И Ш хр 12800

Поступило из коллекции А. П. Бахрушина в 1905 г.

Парный к рисунку кат. 6

Способ изображения четырехконечного креста, троеперстного крестного знамения, креста на печатях, формы навершия патриаршего жезла, который был узаконен после реформы патриарха Никона на церковном соборе 1666 г.

ATTRIBUTES OF THE DIVINE SERVICE AND SYMBOLS USED BY THE OFFICIAL ORTHODOX CHURCH. Late 18th-early 19th century

Anonymous artist

Ink, tempera. 31.7×19.5

Paper with the G R water-mark (under the crown)

E. Heawood, No. 3713. The 1790s

Acq. No. 42949 И Ш, 12800

From the A. P. Bakhrushin collection (1905)

A pair to the drawing cat. No. 6

Canons of painting four-pointed cross, three-finger sign of the cross, crosses on seals, the form of the top of the Patriarch's crozier were legitimated after Patriarch Nikon's reform at the oecumenical council in 1666.

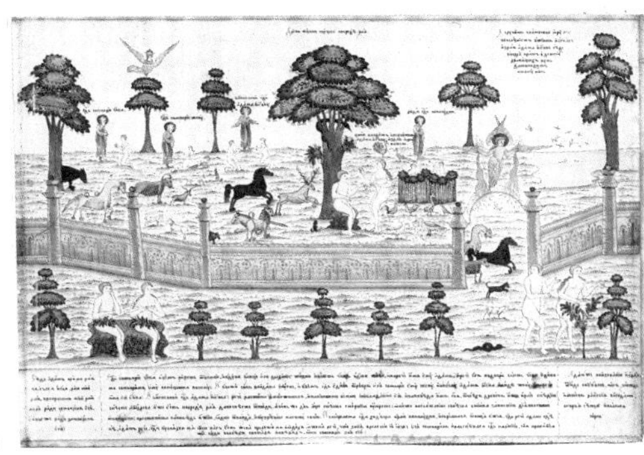

8

6. ИЗОБРАЖЕНИЕ НЕКОТОРЫХ АТРИБУТОВ ОБРЯДНОСТИ И СИМВОЛИКИ, ПРИНЯТЫХ У СТАРООБРЯДЦЕВ. Конец XVIII — начало XIX в.
Неизвестный художник
Чернила, темпера. 31,7×19,8
Бумага с филигранью Pro Patria/H. Wolven [Pro Patria]
E. Heawood, № 3713, 1790-е гг.
Инв. № 42949/1129
Поступило из коллекции А. П. Бахрушина в 1905 г.
Парный к рисунку кат. 5
Способ изображения тех же предметов и символов у старообрядцев, отстаивавших их традиционность, «истинность», и не принимавших нововведений Никона.
ATTRIBUTES OF THE DIVINE SERVICE AND SYMBOLS USED BY OLD-BELIEVERS. Late 18th-early 19th century
Anonymous artist
Ink, tempera. 31.7×19.8
Paper with Pro Patria/H. Wolven Pro Patria water-mark
E. Heawood, No. 3713. The 1790s
Acq. No. 42949/1129
From the A. P. Bakhrushin collection (1905)
A pair to the drawing cat. No. 5
Old-believers defended their own canons of depicting the same attributes and symbols, insisted on their exclusive truthfulness and traditionalism and rejected the innovations introduced by Nikon.

7. «СКАЗАНИЕ О МАКСИМЕ ИНОЦЕ СВЯТОГОРЦЕ ВЯТОПЕДСКИЯ ОБИТЕЛИ, СЛОВО 134». 1830-е гг.
Неизвестный художник
Чернила, темпера. 61×51,3
Бумага с филигранью А М курс./1833
Клепиков II, № 53
Инв. № 42949 И Ш хр 12785
Поступило из коллекции А. П. Бахрушина в 1905 г.
Под названием текст в 2 столбца по 60 строк: «Осмей убо тысящи наставши в четвер... несть».
Портрет Максима Грека (ок. 1475—1556) тяготеет к иконографическому типу, распространенному в XVIII и XIX вв., где преобладает изображение его как святого, а не как писателя и переводчика, как в XVI—XVII вв. М. Грек имеет нимб, изображен в монашеском одеянии. Портрет сочетается с большим текстом, в котором рассказывается о судьбе М. Грека, приезде в Россию в 1518 г. из Вятопедского монастыря на Афоне, заточении в 1525 г., сочинительской деятельности. Личность М. Грека была очень популярна в старообрядческой среде.
TALE OF MONK MAXIM, BROTHER OF THE VYATOPEDSKAYA CLOISTER.
The 1830s
Anonymous artist
Ink, tempera. 61×51.3
Paper with the A M (italics) water-mark. 1833
Klepikov II, No. 53
Acq. No. 42949 И Ш, 12785
From the A. P. Bakhrushin collection (1905)
There is a text in two columns under the title. Portrait of Maxim the Greek (c. 1475-1556) is close to the iconographical type widely spread in the 18th and 19th century when he was depicted as a saint and not as a writer and translator, the image traditional for the 16th-17th century. St. Maxim appears in a

9

monk's attire and has nimbus around his head.
The portrait is accompanied by a long text narrating about his life, arrival to Russia in 1518 from the Vyatopedsky Monastery in Athos, imprisonment in 1525, and about his writings.
Maxim the Greek was highly popular among old-believers.

8. СОТВОРЕНИЕ ЧЕЛОВЕКА, ЖИЗНЬ АДАМА И ЕВЫ В РАЮ, ИЗГНАНИЕ ИХ ИЗ РАЯ. Первая половина XIX в.
Неизвестный художник
Чернила, темпера. 49×71,5

—

Текст под рамкой из трех частей. Левая колонка в 6 строк: «Седе Адам прямо рая... еси». Средняя часть в 7 строк: «Господь сотвори человека взем перст от земли и вдуну в лице его дыхание жизни и бысть человек в душу живу, и нарече имя ему Адам, и рече Бог не добро бысть человеку едино... ты буди во всех скотах и зверях, яко сотвори зло сие». Правая колонка в 5 строк: «Адам же по изгнании из рая... горко».
Инв. № 16116 И Ш хр 9619
Поступило из коллекции П. И. Щукина в 1905 г.
Аналогичная композиция кат. 43, 44
Литература: Лубок I, ил. 121
На картинках (кат. 8, 9, 43, 44) изображены начальные эпизоды библейской книги Бытия: сотворение Адама и Евы, грехопадение, изгнание из рая и оплакивание потерянного рая (сцена оплакивания носит апокрифическую трактовку). Во всех картинках композиция строится по единому принципу. На больших листах размещается последовательный рассказ, состоящий из отдельных эпизодов. Действие разворачивается за высокой каменной стеной, которая окружает райский сад, и перед ней. Художники варьируют расположение отдельных сценок, по-разному рисуют персонажей, заметны отличия в расположении текстовой части, но выбор эпизодов и общее решение остается неизменным. Существовала устойчивая традиция воплощения данного сюжета. История жизни первых людей неоднократно изображалась в рукописных миниатюрах: в лицевых Библиях (ГИМ, Муз. 84, Увар. 34, Барс. 32), в сборниках повестей (ГИМ, Муз. 295, Востр. 248, Вахр. 232, Муз. 3505), в синодиках (ГИМ, Бахр. 15; ГБЛ, Унд. 154).
Известны гравированные печатные Библии: Ровинский I, т. 3, № 809—813.
В печатных лубочных картинках и в миниатюрах наблюдается совершенно иной принцип иллюстрирования книги Бытия. Каждая миниатюра и каждая гравюра иллюстрирует только один эпизод рассказа. Совмещение следующих друг за другом сцен отсутствует.

CREATION OF MAN, ADAM AND EVE IN PARADISE, THE BANISHMENT FROM PARADISE. First half 19th century
Anonymous artist
Ink, tempera. 49×71.5

—

There is a text in three parts under the frame: the left column counts 6 lines, the central column—7 lines and the right—5 lines.
Acq. No. 16116 И Ш, 9619
From the P. I. Shchukin collection (1905)
Analogous composition cat. Nos. 43,44
Literature: Loubok I, pl. 121

The pictures (cat. 8,9, 43,44) show the opening episodes from the Holy Bible: creation of Adam and Eve, the Fall, expulsion from Paradise and the Mourning of the Lost Paradise (the scene of the mourning is interpreted according to the apocrythal cannons). Composition in all the pictures follows the same principle. Large sheets contain a consistent story composed of separate episodes. The action takes place behind a high stone wall surrounding the Gardens of Paradise and in front of it. Artists vary the composition of individual scenes, differently depict the personages, and place the text, but the choice of the episodes and the general principle remains unchanged.
There existed an established tradition in treating the subject.
The story of the first people on Earth repeatedly appeared in manuscripts: in the Bibles (The Historical Museum, Muz. 84, Uvar. 34, Bars. 32), in collections of stories (The Historical Museum, Muz. 295, Vostr. 248, Bakhr. 232, Muz. 3505), and in synodics (The Historical Museum, Bakhr. 15, The Lenin Library, Und. 154). Engraved and printed Bibles are known: Rovinsky I, v. 3, No. 809—813.
The printed louboks and miniatures follow quite another principle in illustrating the Book of Gospels. Each miniature and each engraving illustrate only one episode of the story and never combine two of the neighbouring scenes.

11

12

9. СОТВОРЕНИЕ ЧЕЛОВЕКА, ЖИЗНЬ АДАМА И ЕВЫ В РАЮ, ГРЕХОПАДЕНИЕ И ИЗГНАНИЕ ИЗ РАЯ. Середина XIX в.
Неизвестный художник
Чернила, темпера, золото. 67,5×79,5
—
Название и текст в 3 строки в картуше: «Твой есть день и Твоя есть Нощь». «И нарече Бог свет день, а тму нарече нощь, луну и звезды. Вначале сотвори Бог небо и землю бо видима и не ... и виде Бог, яко добро. И рече Бог да совершися вода, иже под небесем в собрание едино, и да явится суша».
Инв. № 38730 И Ш хр 9646
Приобретено «на торгу» в 1900 г.
Картинка имеет общую композиционную схему с листами кат. 8, 43, 44, но отличается от них текстовой частью.
CREATION OF MAN, ADAM AND EVE IN PARADISE, THE FALL AND BANISHMENT FROM PARADISE. Mid-19th century
Anonymous artist
Ink, tempera, gold. 67.5×79.5
—
The title and the text of 3 lines are placed in the cartouche.
Acq. No. 38730 И Ш, 9646
Purchased at the auction in 1900
The picture has the same composition with the sheets cat. Nos. 8, 43, 44, but differs from them in the textual part.

10. АДАМ И ЕВА У ДЕРЕВА ПОЗНАНИЯ. Первая половина XIX в.
Неизвестный художник
Чернила, темпера. 42×34,5
—
Внизу текст в 7 строк: «И заповеда Господь Бог Адаму гля, от всякаго древа, еже в раи снедию ... на яде и даде мужу своему».
Инв. № 28824 И Ш 61080
Приобретено у Г. Бажанова в 1894 г.
Литература: Лубок I, ил. 122
На картинках (кат. 10, 11) изображен отдельный сюжет библейского мифа о жизни первых людей в раю. При совпадении основного момента композиционной схемы, а именно показа Адама и Евы около дерева, художники по-разному решают свои произведения. Отличия сказываются как в декоративном строе картинок, так и в деталях рисунка.
Сюжет встречается в печатном лубке: Ровинский I, т. 3, № 809—813; известен в миниатюрах рукописей (см. примеч. к кат. 9). В рисованных лубках наблюдается самостоятельный подход к воплощению темы.
ADAM AND EVE AT THE TREE OF KNOWLEDGE. First half 19th century
Anonymous artist
Ink, tempera. 42×34.5
—
The text of 7 lines is in the lower part of the sheet.
Acq. No. 28824 И Ш 61080

Purchased from G, Bazhanov in 1894
Literature: Loubok I, pl. 122
A separate story from the biblical myth of the first people in Paradise is shown in the pictures (cat. 10, 11). The main principles of the composition, showing of Adam and Eve at the Tree of Knowledge, coincide, but as far as decorative system and treatment of details are concerned the sheets differ.
The subject is also met in engravings (Rovinsky I, v. 3, Nos. 809-813) and manuscripts (see commentaries to cat. 9). The loubok prints treat the theme rather independently.

11. АДАМ И ЕВА У ДЕРЕВА ПОЗНАНИЯ.
Середина XIX в.
Неизвестный художник
Чернила, темпера, золото. 39,3×50
—
Текст под картинкой сохранился фрагментарно.
Инв. № 45857 И Ш хр 7437
Поступило из коллекции И. Е. Забелина в 1909 г.
ADAM AND EVE AT THE TREE OF KNOWLEDGE. Mid-19th century
Anonymous artist
Ink, tempera, gold. 39.3×50
—
The text under the picture came down to us in fragments.

15

Acq. No. 45857 И Ш 7437
From the I. Ye. Zabelin collection (1909)

12. ЖЕРТВОПРИНОШЕНИЕ АВРААМА.
Конец XVIII — начало XIX в.
Неизвестный художник
Чернила, темпера. 55,6×40,3
Бумага с филигранью J Kool Comp./Seven provinces (без круга)
Клепиков I, № 1154. 1790—1800-е гг.
Название вверху: «О принесении Исаака в жертву». Под картинкой текст в 5 строк: «Сей праотец Авраам прижил с Саррою одного сына Исаака, Бог обеща ему, что в семени его благосло... сего овна взял Авраам, принес на жертву, на том жертовнике, на котором положен бысть Исаак».
Инв. № 40137
Приобретено у П. С. Кузнецова в 1902 г.
Изображен жертвенник, на котором распростерто тело Исаака. Рядом стоит Авраам с занесенным ножом, а над ним на облачке — ангел, останавливающий руку Авраама.
Картинка является иллюстрацией библейской легенды. В миниатюрах рукописей сюжет встречается редко, известен в «Псковской Палее» 1477 г.— ГИМ, Син. 210, л. 91. В гравированные библии сюжет включался постоянно: Ровинский I, т. 3, с. 242, 261, 269; Библия/Гравюры Д. Пастухова и Г. Тепчегорского. М., 1720—1730. Л. 14. По отношению к печатным изданиям и к миниатюре рисунок полностью самостоятелен.

16

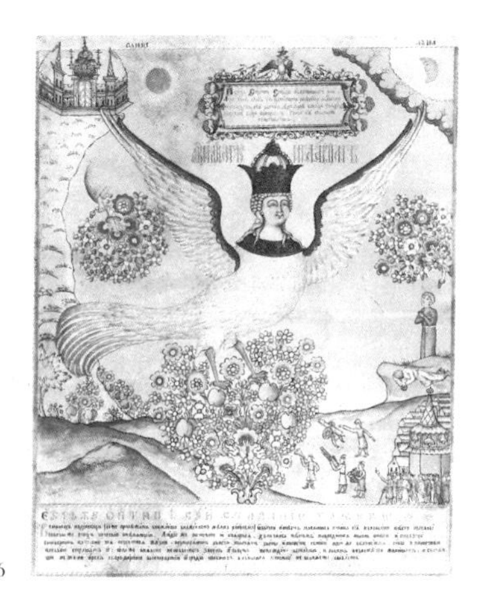

SACRIFICE OF ABRAHAM. Late 18th-early 19th century
Anonymous artist
Ink, tempera. 55.6×40.3
Paper with the J Kool Comp./seven provinces water-mark (without a circle)
Klepikov I, No. 1154. The 1790-1800s
The title is in the upper part and the text of 5 lines — under the picture.
Acq. No. 40137
Purchased from P. S. Kuznetsov in 1902
An altar with prostrate Isaak is shown in the picture. Abraham is standing at the altar with a knife in his hand raised to strike the body, while an angel appearing on the cloud behind Abraham arrests his hand.
This is an illustration to the biblical myth. The subject is seldom found in manuscripts and is met in the "Pskovian Chronicles" of 1477, The Historical Museum, Sin. 210, l. 91. In the engraved Bibles the subject is constantly included: Rovinsky I, v. 3, pp. 242, 261, 269. The Bible, engraved by D. Pastukhov, and G. Tepchegorsky. Moscow, 1720-1730, l. 14.
As compared to engravings and miniatures the drawing is absolutely independent.

13. ПРИТЧА О БЛУДНОМ СЫНЕ. Начало XIX в.
Неизвестный художник
Чернила, темпера. 76,3×54,6
Бумага голубовато-серого оттенка начала XIX в.
Название вверху: «Евангельская притча о блудном сыне». В центре — стих на крюковых нотах в 24 строки: «Человек бе некто богатый... есть меншей брат твой выну». Нотация знаменная, с пометами.
Инв. № 42949/1108
Поступило из коллекции А. П. Бахрушина в 1905 г.
На картинках (кат. 13, 14) иллюстрации к евангельской легенде (Ев. от Луки гл. 15, зач. 79) сопровождаются текстом духовного стиха «О блудном сыне».
Притча о блудном сыне была популярна в русском искусстве и литературе XVII—XIX вв. Известны пьеса С. Полоцкого, многочисленные рукописные варианты ее, четыре издания пьесы под названием «Комедия притчи о блудном сыне», в том числе цельногравированная книга середины XVIII в., стихи о блудном сыне в рукописной и фольклорной традиции. В гравированных лубках сюжет был достаточно распространен: Ровинский I, т. 3, № 695—696. В лицевых рукописях притча встречается неоднократно: ГИМ, Щук. 732, Муз. 3286, Муз. 1835.
Рисованные картинки отличаются полной самостоятельностью трактовки эпизодов притчи. Они не имеют общего оригинала, каждая возникла самостоятельно.
PARABLE OF THE LOST SON. Early 19th century
Anonymous artist
Ink, tempera. 76.3×54.6
Paper of the bluish-grey tint, of the early 19th century
The title is in the upper part of the sheet, a

verse in 24 lines of hook-like music — in the centre. The music holds some marks.
Acq. No. 42949/1108
From the A. P. Bakhrushin collection (1905)
The pictures (cat. 13, 14) present illustrations to the evangelical story (The Gospels, Luke 15:79) and are accompanied by the ecclesiastic verses about the prodigal son.
The parable about the prodigal son was popular in Russian literature and the arts of the 17th-19th centuries. A play by S. Polotsky, its numerous hand-written variants, four editions of the poem under the title "Comedy-parable about the Prodigal Son", as well as an engraved book of the middle of the 18th century, verses about the prodigal son in manuscripts and folklore came doun to us. In engravings the theme was comparatively widely used: Rovinsky I, v. 3, Nos. 695-696. It is also found in manuscripts: The Historical Museum, Shchuk. 732, Muz. 3286, Muz. 1835.
The prints demonstrate complete independence in interpreting the episodes from the story. They appeared independently, without any common original.

14. ПРИТЧА О БЛУДНОМ СЫНЕ. Первая половина XIX в.
Неизвестный художник
Чернила, темпера, белила, золото. 84,5×62
—
Название вверху: «Человек некии имел два сына, и рече юнейшиией ко отцу: отче, даждь ми достойную часть имения. И раздели има имения равно. Словеса сии реченная во светем евангелии от Луки, зачало 79». В центре текст стиха на крюковых нотах в 21 строку: «Человек бе некто богатый... меншей брат твой выну». Нотация знаменная, с пометами.
Инв. № 38473 И Ш 61098
Приобретено «на торгу» в 1900 г.
По краям листа в рамке помещен пространный текст, толкующий смысл евангельской легенды в нравственном аспекте.
PARABLE OF THE LOST SON. First half 19th century
Anonymous artist
Ink, tempera, whiting, gold. 84.5×62
—
The title is in the upper part and the text of the verses written in 21 lines of the hook-type music — in the centre. The music holds marks.
Acq. No. 38473 И Ш 61098
Purchased at the auction in 1900
A detailed text interpreting the evangelical story from the moral aspect is placed, framed, in the margins.

15. РАЙСКАЯ ПТИЦА СИРИН. 1750—1760-е гг.
Неизвестный художник
Чернила, темпера, золото. 44×39,5
Бумага с филигранью C and Honig [Vryheyd]
H. Voorn, № 112. 1750—1760-е гг.
Название в картуше: «Птица Сирин святаго и блаженнаго рая».
Инв. № 66804 И Ш хр 8687
Литература: Иткина III
Мифологический образ птицедевы часто встречается на предметах прикладного, миниатюрного, монументального искусства Древней Руси, а также в памятниках народного и лубочного искусства XVIII—XIX вв. Рассказы о сладостном и чарующем воздействии пения Сирина на человека содержатся в таких литературных памятниках XVII в., как Физиологи, Азбуковники, Хронографы. Художники рисованного лубка демонстрируют образцы апокрифической трактовки литературных источников, согласно которым птица Сирин боится громких звуков и, чтобы отпугнуть ее, люди звонят в колокола, стреляют из пушек, трубят в трубы.
Существуют две разновидности листов с птицей Сирин: одна имеет развернутый сюжет, а другая представляет изображе-

20

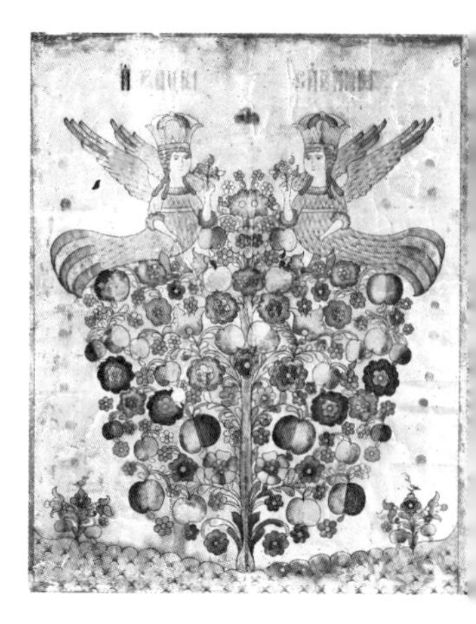

ние только самой птицедевы. Картинки, где нарисована только сама птица, сидящая на кусте, разнообразны по оформлению (кат. 15, 58, 129, 130). Часть листов имеет прямые аналогии в печатном лубке: Ровинский I, т. 1, № 252—254, 256; т. 4, с. 356—358; т. 5, с. 140, 141.

Большая часть картинок с развернутой легендой восходит к общему оригиналу, хотя все имеют отличительные особенности в облике Сирина, в изображении толпы людей, пугающих птицу шумом и т. д. (кат. 16—19, 47). Сюжет с подробной легендой о птице Сирин не имеет аналогий в печатном лубке.

SIRIN, THE BIRD OF PARADISE. The 1750-1760s

Anonymous artist

Ink, tempera, gold. 44×39.5

Paper with the C and Honig (Vryheyd) water-mark

H. Voorn, No. 112. The 1750-1760s

The title is in the cartouche.

Acq. No. 66804 И Ш, 8687

Literature: Itkina III

The mythological image of the bird-maiden is often used in applied arts, miniatures and monumental art in Old Russia, as well as in the monuments of folk art and louboks of the 18th-19th century. Literary monuments of the 17th century such as Physiologies, ABC Books and Chronologies often mention enchanting and fascinating singing of the maiden and its effect on men. The authors of the prints demonstrate the apocrythal versions of the interpretation of literary soures, according to which Sirin is afraid of loud sounds and in order to frighten it people ring the bells, fire guns and blow the trumpets.

There exist two groups of prints depicting Sirin: the first carry a detailed story, while the second show the bird itself sitting on a bush and are rather different (cat. 15, 58,129,130). Some of the prints have direct analogues with loubok engravings: Rovinsky I, v. I, Nos. 252-254, 256,v. 4, pp. 356-358, v. 5, pp. 140-141.

Most of the pictures presenting the story in detail have the same sources but certain distinctions in the appearance of the bird-maiden, in the looks of the crowd frightening the bird with noise, ets. are evident. (cat. 16-19, 47). The subject dealing with the circumstantial narration of the bird Sirin has no analogues in loubok engravings.

16. РАЙСКАЯ ПТИЦА СИРИН. Начало XIX в.

Неизвестный художник

Чернила, темпера, золото. 59,7×47

—

В картуше название: «Птица Сирин святаго и блаженнаго рая» и текст в 5 строк «Аще человек ея услышит, пленится мысльми... не престает». Около головы Сирина надпись: «Видом и гласом». Под картинкой заглавие: «Есть же о птице сей сказание таково». Ниже текст в 5 строк «В странах индийских (яже прилежат ближайши блаженному месту райскому) обычей имеет являтися птица сия и глашати песни таковы... ши нежели орел скоропар-

23

ною быстростию от вреды шумов взем-шися, к тому не являема бывает».
Инв. № 23812 И Ш 61082
Поступило из коллекции П. И. Щукина в 1905 г.
Аналогичная композиция кат. 17—19,47
SIRIN, THE BIRD OF PARADISE. Early 19th century
Anonymous artist
Ink, tempera, gold. 59.7×47
—
The title is in the cartouche and there is an inscription near the bird's head. The text of 5 lines is placed under the picture.
Acq. No. 23812 И Ш 61082
From the P. I. Shchukun collection (1905)
Analogous composition cat. 17-19, 47

17. РАЙСКАЯ ПТИЦА СИРИН. Первая половина XIX в.
Неизвестный художник
Чернила, темпера, золото. 63,8×47,1
—
В картуше название: «Птица Сирин свя-таго и блаженнаго рая» и текст в 2 строки: «Аще человек глас ея услышит, пленится мысльми и забудет вся временная и дотоле вслед тоя ходит, дондеже пад умирает, гласа ея слышати не престает». Около головы Сирина надпись: «Видом и гласом». Под картинкой заглавие: «Есть же о птице сей сказание таково». Ниже текст в 4 строки: «В странах индийских (яже при-лежат ближайши блаженному месту рай-скому) обычай имеет являтися птица сия и глашати песни таковы, яковы же слух... возлетати жилищам, и скорейши нежели орел скоропарною быстростию от вреды шумов вземшеся, к тому не являема бывает».
На обороте по нижнему краю листа дар-ственная надпись, обрезанная пополам: «Милостивой государыни Феклы Ива-новне...»
Инв. № 23812 И Ш 61088
Поступило из коллекции П. И. Щукина в 1905 г.
Аналогичная композиция кат. 16, 18, 19, 47
Литература: Лубок I, ил. 117, 118; Лубок II, с. 17
SIRIN, THE BIRD OF PARADISE. First half 19th century
Anonymous artist
Ink, tempera, gold. 63.8×47.1
—
The title and the text of 2 lines are in the cartouche. An inscription is near Sirin's head, the text of 4 lines lies under the pic-ture. Dedicatory inscription remained in fragments.
Acq. No. 23812 И Ш 61088
From the P. I. Shchukin collection (1905)
Analogous composition cat. 16, 18, 19, 47.
Literature: Loubok I, pl. 117, 118, Loubok II, p. 17.

24

18. РАЙСКАЯ ПТИЦА СИРИН. Первая половина XIX в.
Неизвестный художник
Чернила, темпера, золото. 44×35,5
—
Название в картуше: «Птица Сирин святаго и блаженнаго рая». Около головы птицы надпись: «Видом и гласом». В прямоугольной рамке: «Аще человек глас ея услышит, пленится мысльми и забывает вся земная и дотоле вслед ея хoдит, дондеже пад умирает». Под картинкой заглавие: «Сказание о птице сей». Ниже текст в 4 строки: «В странах индийских, прилежащих блаженному месту райскому, обычай имеет являтися птица сия и гласы таковы... ема бывает».
Инв. № 42949 И Ш 61114
Поступило из коллекции А. П. Бахрушина в 1905 г.
Аналогичная композиция кат. 16, 17, 19, 47
SIRIN, THE BIRD OF PARADISE. First half 19th century
Anonymous artist
Ink, tempera, 44×35.5
—
The title is in the cartouche and an inscription — near the head. A rectangular frame bears the text. Below the picture is the title and the text in 4 lines.
Acq. No. 42949 И Ш 61114
From the A. P. Bakhrushin collection (1905)
Analogous composition cat. 16, 17, 19, 47.

19. РАЙСКАЯ ПТИЦА СИРИН. Первая половина XIX в.
Неизвестный художник
Чернила, темпера. 44,5×35
—
Название в картуше: «Птица Сирин святаго и блаженнаго рая». Около головы птицы надпись: «Видом и гласом». Справа в рамке текст в 6 строк: «Аще человек глас... пад умирает». Под рамкой картинки заглавие: «Сказание о птице сей». Ниже текст в 4 строки: «В странах индийских прилежащих блаженному месту райскому, обычай имеет являтися птица сия и гласы таковы глашати... ма бывает».
Инв. № 42949 И Ш хр 12765
Поступило из коллекции А. П. Бахрушина в 1905 г.
Аналогичная композиция кат. 16—18,47
SIRIN, THE BIRD OF PARADISE. First half 19th century
Anonymous artist
Ink, tempera. 44.5×35
—
The title is in the cartouche and an inscription — near the bird's head. In a frame to the right runs the text in 6 lines. Under the picture's frame goes the title. Below is the text of 4 lines.
Acq. No. 42949 И Ш, 12765
From the A. P. Bakhrushin collection (1905)
Analogous composition cat. 16–18. 47.

20. РАЙСКАЯ ПТИЦА АЛКОНОСТ
Конец XVIII — начало XIX в.
Неизвестный художник

Чернила, темпера, золото. 58,5×47,4
—
Бумага с филигранью J Kool Comp./Seven provinces (без круга)
Клепиков I, № 1154. 1790—1800-е гг.
Название: «Птица райская Алконос». На свитке в руке: «Праведницы во веки живут и от Господа мзда им и попечение их пред Вышним сего ради приимут». Текст внизу в 6 строк: «Птица райская Алконос близ рая пребывает, некогда и на Ефра ... указует».
Инв. № 40139 И Ш 61050
Приобретено у П. С. Кузнецова в 1902 г.
Литература: Лубок II, с. 77, 94; Иткина III
Вторая птицедева русского изобразительного искусства — Алконост — обязана своим происхождением также литературной средневековой традиции. Согласно легендам, это райская птица, сулящая своим неземным пением спасение праведникам. Рисунки с Алконостом часто делались парными к картинкам с птицей Сирин.
Сюжет был широко распространен в печатном лубке: Ровинский I, т. 1, № 225, 257; т. 4, с. 356—358; т. 5, с. 140—141. Некоторые картинки прямо восходят к гравированным лубкам (кат. 133), часть листов выполнена без отступления от иконографической схемы, но с изменениями и дополнениями в текстовой части (кат. 20, 131, 132)

ALCONOST, THE BIRD OF PARADISE. Late 18th-early 19th century
Anonymous artist
Ink, tempera, gold. 58.5×47.4
Paper with the j Kool Comp./Seven provinces (without a circle) water-mark.
Klepikov I, Nos. 1154, The 1780–1800s
The title: Alconost the Bird of Paradise. The text is on the scroll in the hand. Below – the text 6 lines long.
Acq. No. 40139 И Ш 61050
Purchased from P. S. Kuznetsov in 1902
Literature: Loubok II, p. 77, Itkina III
Alkonost, the second bird-maiden in Russian fine arts, also has literary medieval traditionas its source. As the legend goes, the bird promises salvation to righteous persons with its heavenly beautiful voice. The drawing depicting Alconost often formed the pairs with those showing Sirin.
The subject was widely used in loubok engravings.: Rovinsky I, v. I, Nos. 225, 257, vol. 4, pp. 356–358, vol 5, pp. 140–141. Some of the pictures directly go back to loubok engravings (cat. 133) and some of the sheets do not break iconographical scheme but introduce certain changes and additions into the text (cat. 20, 131, 132).

21. ПТИЦЫ СИРИНЫ. Вторая половина XIX в.
Неизвестный художник
Чернила, темпера, золото. 49,5×39
—
Название: «Птицы Сирины»
Инв. № 41592 И Ш хр 10252
Приобретено «на торгу» в 1903 г.
Художник объединил двух одинаковых птицедев, поместив их над большим дере-

28

вом. Парные изображения райских птиц известны в печатном лубке: Ровинский I, т. 1, № 253. В данном случае композиция отличается самостоятельностью решения.
SIRINS, THE BIRDS OF PARADISE. Second half 19th century
Anonymous artist
Ink, tempera, gold. 49.5×39
—
Title: "Sirins, the Birds of Paradise".
Acq. No. 41592 И Ш, 10252
Purchased at the auction in 1903
The artist put two bird-maidens together under a big tree. Double portrayal of the birds of Paradise are found in loubok engravings: Rovinsky I, vol. I, No. 253. The composition under consideration is independent in treating the theme.

22. ДУША ЧИСТАЯ. Конец XVIII в.
Неизвестный художник
Чернила, темпера, золото. 53,5×41,8
Бумага с филигранью Adrian Rogge AR[вензель] [Strasbyrg lily]
Клепиков I, № 913. 1787 г.
Название вверху: «Душа чистая». Справа текст в 8 строк: «Душа чистая стоит аки невеста ... гии терпети доброты ея».
Инв. № 52789 И Ш 61079
Приобретено у А. А. Бахрушина в 1921 г.
Аналогичная композиция кат. 23, 24
На картинках (кат. 22—26) сопоставляется нравственное состояние чистой и грешной души. Душа чистая представлена девой в короне, стоящей на луне. В правой руке она держит букет цветов, в левой — кувшин со слезами, гасящими пламя. Внизу — поверженные ею дракон и змий, а также укрощенный лев. Душа грешная сидит в темной пещере. Праведная душа в виде царственной девы и противостоящая ей грешная душа, «тьмою помраченная», изображались, как указывает Д. А. Ровинский, в росписи стен царских палат, в иконах XVII—XVIII вв. (Ровинский I, т. 4, с. 560—562). Оттуда сюжет проник в печатную лубочную картинку, где выдержал множество переизданий (Ровинский I, т. 3, № 760).
Среди рисованных лубков сюжет с чистой и грешной душой — один из самых распространенных. Картинки повторяют основную композиционную идею печатных лубков, но варьируют и разнообразят детали.
PURE SOUL. Late 18th century
Anonymous artist
Ink, tempera, gold. 53.5×41.8
Paper with the Adrian Rogge A R (Strasbyrg lily) water-mark.
Klepikov I, No. 913, 1787
The title "Pure Soul" stands in the upper part. To the right is the text of 8 lines.
Acq. No. 52789 И Ш 61079
Purchased from A. A. Bakhrushin in 1921
Analogous composition cat. 23, 24
The pictures (cat. 22–26) compare the moral state of the pure and sinful souls. The morally pure soul is represented by the maiden in a crown standing on the Moon and holding, in her right hand, a bunch of flowers and in her left hand – a jug with tears, putting out the flame. Below are the dragon and the snake she has defeated as well as a tamed

29

lion. Sinful soul is sitting in a dark dungeon. Righteous soul shown as a regal maiden and sinful soul opposite to her were often painted, as Rovinsky remarks, on the walls of the tsar's chambers and in the 17th – 18th century icons. (Rovinsky I, vol. 4, pp. 560–562). From there the subject found its way to louboks that were republished not once (Rovinsky I, vol. 3, No. 760). Among the prints the theme of the pure and sinful soul is one of the most widely used. The pictures repeat the general compositional principle of the engravings but vary the details.

23. ДУША ЧИСТАЯ. Конец XVIII — начало XIX в.
Неизвестный художник
Чернила, темпера. 59,5×48,5
Бумага с филигранью J Kool Comp./Seven provinces (без круга)
Клепиков I, № 1154. 1790—1800-е гг.
Название вверху: «Душа чистая». Справа текст в 8 строк: «Душа чистая стоит аки невеста укра... терпети доброты ея».
Инв. № 42949 И Ш 61049
Поступило из коллекции А. П. Бахрушина в 1905 г.
Аналогичная композиция кат. 22, 24
Литература: Лубок II, с. 76, 93
PURE SOUL. Late 18th – early 19th century
Anonymous artist
Ink, tempera. 59.5×48.5
Paper with the j Kool Comp./Seven provinces (without a circle) water-mark.
Klepikov I, No. 1154. The 1790–1800s
The title is in the upper part, to the right is the text 8 lines long.
Acq. No. 42949 И Ш 61049
From the A. P. Bakhrushin collection (1905)
Analogous composition cat. 22, 24
Literature: Loubok II, pp. 76, 93

24. ДУША ЧИСТАЯ. Начало XIX в.
Неизвестный художник
Чернила, темпера. 59,7×48,2
—
Название вверху: «Душа чистая». Справа текст в 9 строк: «Душа чистая стоит, аки невеста... могии терпети доброты ея».
Инв. № 38367 И Ш 61096
Приобретено у П. С. Кузнецова в 1900 г.
Аналогичная композиция кат. 22, 23
PURE SOUL. Early 19th century
Anonymous artist
Ink, tempera. 59.7×48.2
–
The title is in the upper part, to the right is the text 9 lines long.
Acq. No. 38367 И Ш 61096
Purchased from P. S. Kuznetsov in 1900
Analogous composition cat. 22, 23

25. ДУША ЧИСТАЯ. Первая половина XIX в.
Неизвестный художник
Чернила, темпера, золото. 52×40,8

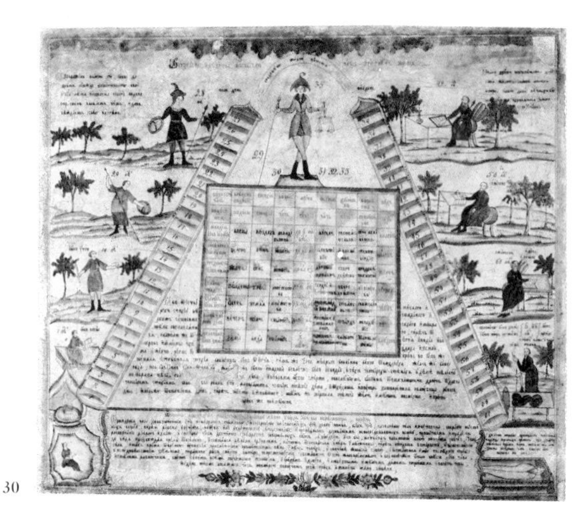
30

Название вверху: «Душа чистая». Справа текст в 9 строк: «Душа чистая стоит, аки неве... терпети доброты ея».
Инв. № 52789 И Ш 61087
Приобретено у А. А. Бахрушина в 1921 г.
Аналогичная композиция кат. 26
В отличие от предыдущих изображений душа чистая представлена с крыльями за спиной и большим золотым нимбом вокруг головы.
PURE SOUL. First half 19th century
Anonymous artist
Ink, tempera, gold. 52×40.8
The title is in the upper part, and the text of 9 lines – to the right.
Acq. No. 52789 И Ш 61087
Purchased from A. A. Bakhrushin in 1921
Analogous composition cat. 26
As distinct from the previous pictures the pure soul here is depicted with the wings behind her back and a big gold nimbus.

26. ДУША ЧИСТАЯ. Первая половина XIX в.
Неизвестный художник
Чернила, темпера. 55×42,8
—
Название вверху: «Душа чистая». Справа текст в 10 строк: «Душа чистая стоит, аки... терпети доброты ея».
Инв. № 42949/1113
Поступило из коллекции А. П. Бахрушина в 1905 г.
Аналогичная композиция кат. 25

PURE SOUL. First half 19th century
Anonymous artist
Ink, tempera. 55×42.8
—
The title is in the upper part, and to the right – the text 10 lines long.
Acq. No. 42949/1113
From the A. P. Bakhrushin collection (1905)
Analogous composition cat. 25

27. АПТЕКА ДУХОВНАЯ. Конец XVIII — начало XIX в.
Неизвестный художник
Чернила, темпера. 59,5×48,2
Бумага с частью филиграни J Kool Comp. Клепиков I, № 1154. 1790—1800-е гг.
Название вверху: «О врачевании духовнем». Внизу текст в 8 строк: «Прииде мних во врачебницу и виде врача зело премудра, к нему же мнози прихождаху различные имеюще недуги. Врачь... чадо света, и наследник вечныя жизни, о Христе Исусе в безконечныя веки, аминь».
Инв. № 40136 И Ш 61095
Приобретено у П. С. Кузнецова в 1902 г.
Аналогичная композиция кат. 81
Притча о враче, который может дать исцеление от грехов, была заимствована из переведенного на Руси в конце XVII в. сочинения «Лекарство духовное». Притча иллюстрирована в рукописных синодиках: ГПБ, F 1, 324, л. 35—36; ф. Буслаева № 107, л. 237.
Сюжет имеется в печатном лубке: Ровин-

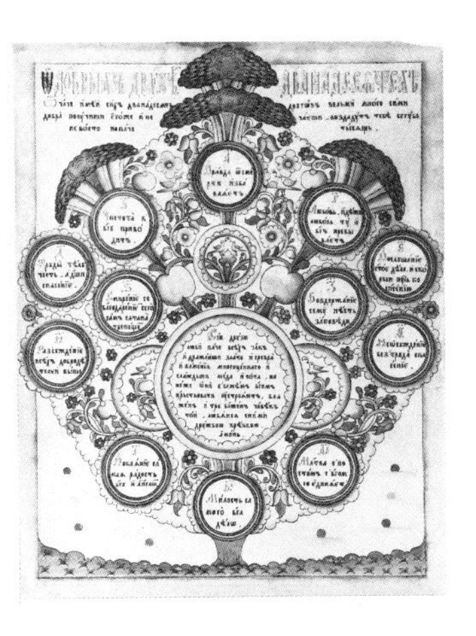

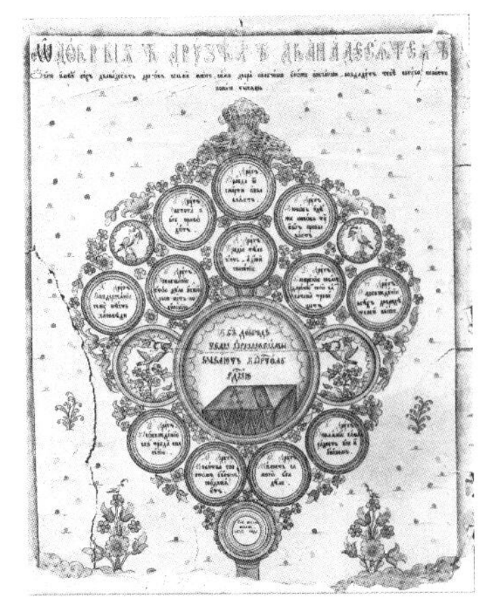

32

ский I, т. 3, № 708, т. 4, с. 528; т. 5, с. 214.
О судьбе книги «Лекарство духовное» см.: Соболевский А. И. Переводная литература московской Руси XIV—XVII вв. Спб., 1903. С. 379—380.
Рисованные картинки в основном повторяют композиции гравированных лубков, варьируя расположение фигур и предметов.

PHARMACY SPIRITUAL. Late 18th – early 19th century
Anonymous artist
Ink, tempera. 59.5×48.2
Paper with the J Kool Comp. water-mark
Klepikov I, No. 1154. The 1790–1800s
The title is in the upper part, below – the text in 8 lines.
Acq. No. 40136 И Ш 61095
Purchased from P. S. Kuznetsov in 1902
Analogous composition cat. 81
A parable about the doctor who can heal of sins was taken from "Medicine spiritual" translated in Russia in the late 17th century. The story was illustrated in hand-written synodical books: Public Library, F 1, 324, 1.35–36, F. Buslayeva No 107, 1.237. The subject is also found in the loubok prints: Rovinsky I, vol. 3 No. 708, vol. 4, p. 528, vol. 5, p. 214.
About the book «Medicine spiritual» see: Sobolevsky A. I. Translated literature of the Moscow Rus in the 14th – 17th c. St. Petersburg, 1903, pp. 379–380.
The prints in the main repeat compositions of the engravings but differently place figures and things in the sheets.

28. СМЕРТЬ ПРАВЕДНИКА И ГРЕШНИКА. Конец XVIII — начало XIX в.
Неизвестный художник
Чернила, темпера, золото. 40,9×52,4
Бумага с филигранью J Kool Comp./Seven provinces (без круга)
Клепиков I, № 1154. 1790—1800-е гг.
Инв. № 40136 И Ш хр 9229
Приобретено у П. С. Кузнецова в 1902 г.
Тема смерти и исхода души грешного и праведного человека освещалась в притчах из «Великого зерцала», в текстах Синодика. Отождествить рисунок с каким-то определенным сюжетом из этих произведений не удается.
На картинке показано, что около ложа умершего праведника стоят ангелы, один из которых принимает его душу, второй записывает его добрые дела, а третий повергает бесов, бессильных что-либо сделать с праведником. Около ложа грешного человека все происходит наоборот: ангел льет слезы, стоя в отдалении, один черт зачитывает «по хартии» дурные поступки умершего, а второй достает длинным крючком из его тела душу. В лицевых синодиках встречаются миниатюры с изображением смерти праведника и грешника, богатого человека и бедного. Они нарисованы всегда порознь и отделены друг от друга иными иллюстрациями (ГИМ, Увар. 853, л. 11, 23; Увар. 272, л. 128; ГБЛ, Унд. 154, л. 53, 55), совмещения на одном листе двух сюжетов нет.
Картинка отличается самостоятельностью художественного решения.

33

DEATH OF THE RIGHTEOUS PERSON AND THE SINNER. Late 18th – early 19th century.
Anonymous artist
Ink, tempera, gold. 40.9×52.4
Paper with the J Kool Comp./Seven provinces (without a circle) water-mark
Klepikov I, No. 1154. The 1790–1800s
Acq. No. 40136 И Ш, 9229
Purchased from P. S. Kuznetsov in 1902
The theme of the death and the soul's outcome of the righteous and the sinner was highlighted in "Velikove Zertsalo", and synodal texts. It is impossible to identify the drawing with any of the pictures from these books.
Angels are standing at the bed of the dead righteous person and one of then is receiving his soul, the second is recording his deeds, and the third is defeating the devils incapable to do anything with the righteous. Everythihg is vice versa with the sinner: angel is crying at a distance and the devil is recording his bad acts while the other is taking, with a long hook, the dead's soul from his body.
Synodal texts often present miniatures depicting the death of the righteous and the sinner, the poor and the rich. As a rule these are put separately and are divided with other illustrations (The Historical Museum, Uvar. 853, 1. 11,23, Uvar – 272,1.128, The Lenin Library, Und. 154, 1. 53,55). Two scenes are never combined on the same sheet. The picture is rather independent in treatment the subject.

29. РАССУЖДЕНИЕ О ЧЕЛОВЕЧЕСКОМ РОЖДЕНИИ, ЖИЗНИ И СМЕРТИ. 1837
Неизвестный художник
Чернила, темпера. 33,5×41,4
—
Название: «Изображение разсуждения о человеческом рождении, животе и смерти». Текст в 8 строк: «1. Человек создан для прославления Бога, и чтоб жить под законами и под властию. 2. И дано... трубы, которая всех возбудит от гробов мертвых». Внизу по углам в двух венках из цветов проставлена дата создания картинки: «1837 го ГОДА».
Инв. № 23812 И Ш хр 7407
Поступило из коллекции П. И. Щукина в 1905 г.
Сюжет картинки толкует смысл человеческой жизни. В числе прочего объясняется, что человеку «по :ожено просвещение ума наукам», «предписание правды» и т. д. Все предметы, лежащие на столе, имеют числовое обозначение, объяснение которым помещено в тексте.
DISCUSSING HUMAN BIRTH, LIFE AND DEATH. 1837
Anonymous artist
Ink, tempera. 33.5×41.4
–
The title is followed by the text of 8 lines. Below in the corners and surrounded with garlands of flowers is the date when the picture was done "1837"
Acq. No. 23812 И Ш, 7407
From the P. I. Shchukin collection (1905)
The subject gives an interpretation of the

36

meaning of human life. Among other purposes, the man should educate his mind with sciences, follow the truth, etc. All the things on the table are marked with certain figures explained in the text.

30. ВОЗРАСТЫ ЖИЗНИ ЧЕЛОВЕЧЕСКОЙ. Середина XIX в.
Неизвестный художник
Чернила, темпера. 58,5×71
—
Внизу текст в 9 строк: «Описание восхождения и нисхождения человеческой жизни вверх, аки бы по лествицы, сиречь... и едино токмо стяжание, человек по смерти себе получит гроб и жилище тамо во веки».
Инв. № 29770 И Ш хр 8681
Поступило из коллекции П. И. Щукина в 1905 г.
Человеческая жизнь подобна лестнице, 35 ступеней которой ведут вверх и 35 ступеней спускаются вниз. Наверху стоит молодой мужчина с весами в руках. По сторонам лестницы изображены различные занятия человека, соответствующие каждому семилетнему периоду его жизни. В центре — таблица, дающая сравнение каждого возраста с определенным сезоном. Сюжет был широко распространен в гравированном лубке: Ровинский I, т. 3, №№ 737—739; т. 4, с. 552; т. 5, с. 175. Картинка ближе всего к печатному листу № 739б (1830-е гг.), но художник делает большие добавления в сцены, передающие занятия людей. Рисунок отличается самостоятельностью трактовки сюжета.

AGES OF HUMAN LIFE. Mid-19th century
Anonymous artist
Ink, tempera. 58.5×71
—
Below are the 9 lines of the text.
Acq. No. 29770 И Ш, 8681
From the P. I. Shchukin collection (1905)
The human life is similar to a ladder 35 steps of which lead up and 35 steps — down. Upstairs is standing a young man with scales in his hands. The ladder is surrounded from both sides by man's occupations typical of every seven years of his life. The table associating every age with a season is placed in the centre.
The subject was widely used in loubok engravings: Rovinsky I, vol. 3, Nos. 737—739, vol. 4, p. 552, vol. 5, p. 175. The picture has a most close resemblance to sheet No. 739b (the 1830s), but the author of the drawing makes large introductions in the text enumerating man's occupations. In general the drawing is rather independent.

31. О ДОБРЫХ ДРУЗЬЯХ ДВЕНАДЦАТИ. Конец XVIII — начало XIX в.
Неизвестный художник
Чернила, темпера. 54,3×42,9
Бумага с филигранью J Kool Comp./Seven provinces (без круга)
Клепиков I, № 1154. 1790—1800-е гг.
Название под верхней рамкой: «О добрых

37

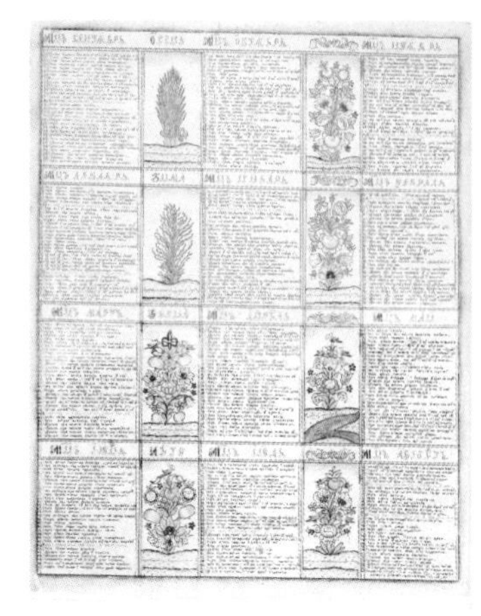

друзьях дванадесятех». Ниже текст в 3 строки: «О человече, имей сих дванадесять другов, вельми много с ими... не во сто, но паче тысящь».
Инв. № 42949 И Ш 61048
Поступило из коллекции А. П. Бахрушина в 1905 г.
Аналогичная композиция кат. 32, 142
Литература: Лубок I, ил. 116; Лубок II, с. 8
На изображении дерева в 12 кругах помещены изречения о добродетелях — друзьях человека. Любовь, труд, правда, чистота — должны быть его лучшими друзьями. «12 добрых друзей» — один из самых распространенных наборов назидательных изречений в рисованном лубке.
Сюжет с 12 друзьями существовал в печатном лубке: Ровинский I, т. 3, № 761; т. 4, с. 562. Картинки использовали схему гравированного лубка, но существенно разнообразили, дополняли ее оригинальными художественными решениями.
ABOUT THE TWELVE KIND FRIENDS.
Late 18th – early 19th century.
Anonymous artist
Ink, tempera. 54.3×42.9
Paper with the J Kool Comp./Seven provinces (without a circle) water-mark.
Klepikov I, No. 1154. The 1790–1800s
The title is under the upper frame, below – the text in 3 lines
Acq. No. 42949 И Ш 61048
From the A. P. Bakhrushin collection (1905)
Analogous composition cat. 32,142
Literature: Loubok I, pl. 116, Loubok II, p. 8
Sayings about human virtues, his main helpers, are placed in 12 circles on the tree: love, labour, truth, purity. Twelve Kind Friends was one of the most popular didactic themes in the prints. It also appeared in engravings: Rovinsky I, vol. 3, No 761, vol. 4, p. 562. The prints used the scheme of loubok engravings but with numerous modifications in treating the subject.

32. О ДОБРЫХ ДРУЗЬЯХ ДВЕНАДЦАТИ. 1825
Неизвестный художник
Чернила, темпера, золото. 58×47,5
Бумага с филигранью J Kool Comp./Seven provinces (без круга)
Клепиков I, № 1152
Название под верхней рамкой: «О добрых друзех дванадесятех». Ниже текст в 2 строки: «О человече, имей сих дванадесять другов, вельми много с ими добра получиши, его же и не чаеши, воздадут тебе сугубо не во сто, но паче тысящь».
В центре в круге надпись: «Все добродетели приносимы бывают к престолу Господню».
В основании ствола дерева в круге надпись: «Сей лист писан 1825 года».
Инв. № 40134 И Ш 61091
Приобретено у П. С. Кузнецова в 1902 г.
Аналогичная композиция кат. 31, 142
ABOUT THE TWELVE KIND FRIENDS
1825
Anonymous artist

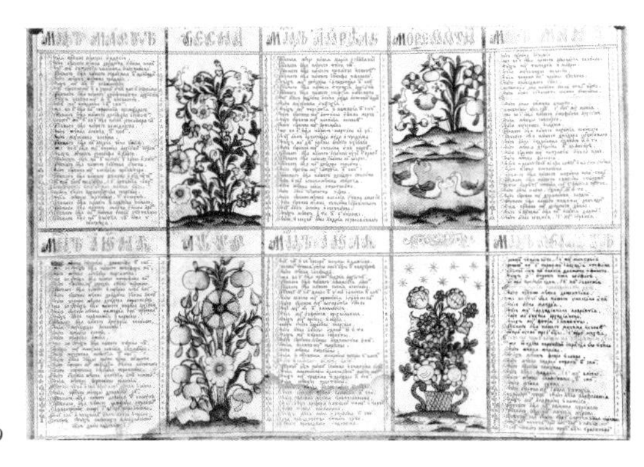

39

nk, tempera, gold. 58×47.5
Paper with the J Kool Comp./Seven Provinces (without a circle) water-mark.
Klepikov I, No. 1152
The title is under the upper frame, below — the text in 2 lines. In the centre and sourrounded by a ring is an inscription. At the foot of the tree in a circle is an inscription: "This sheet was done in 1825".
Acg. No. 40134 И Ш 61091
Purchased from P. S. Kuznetsov in 1902
Analogous composition cat. 31, 142

33. «ДРЕВО ПОЛЕЗНЫЕ СОВЕТЫ». Первая половина XIX в.
Неизвестный художник
Чернила, темпера. 52,4×40,5
—
Название внизу: «Древо полезныя советы».
Инв. № 52789 И Ш хр 8536
Приобретено у А. А. Бахрушина в 1921 г.
В картушах помещены изречения нравственного характера. Сюжет близок к 12 добрым друзьям. Одно из типичных наставлений: «Присовокупи к вере твоей добродетель, к добродетели познание, к познанию терпение, к терпению благочестие, к благочестию милость и любовь к ближнему, и тако Божий закон исполниши».
THE TREE OF USEFUL ADVICE. First half 19th century
Anonymous artist
Ink, tempera. 52.4×40.5
—
The title is below.
Acq. No. 52789 И Ш, 8536
Purchased from A. A. Bakhrushin in 1921
The cartouches carry dictums on moral topics. The subject is close to the previous one.

34. ИЗ АЛФАВИТА ДУХОВНОГО. 1826
Неизвестный художник
Чернила, темпера. 42,5×53,8
—
Название: «Нравоучение выписано из алфавита духовнаго». В основании дерева в круге надпись: «Сей лист писан 1826 года».
Инв. № 41593 И Ш 61089
Приобретено «на торгу» в 1903 г.
В кругах помещены нравоучительные сентенции, близкие к тем, которые содержатся в «Древе полезные советы».
FROM THE SPIRITUAL ALPHABET. 1826
Anonymous artist
Ink, tempera. 42.5×53.8
—
The title is "The preaching is taken from the spiritual alphabet". An inscription "This sheet was done in the year of 1826" is placed in a circle at the foot of the tree.
Acq. No. 41593 И Ш 61089
Purchased at the auction in 1903
The circles carry dictums on moral topics close to the ones from tne Tree of Useful Advice.

35. ДРЕВО РАЗУМА. 1816
Неизвестный художник
Чернила, темпера, белила, золото. 71×57
На бумаге неразборчивый знак фабрики и дата: 1812

40

Название под деревом: «Древо разума». В картуше текст в 6 строк: «От писмене и учения внешняго обретеся и возрасте ум человеку, и от ума вся сия родишася... ликими божиим даром причастницы быша и небесному царствию наследницы».
Под текстом надпись: «Написася 1816 года м(есяца) февраля 13». На обороте листа скорописью дарственная надпись: «Сим листом дарю любезнаго друга».
Инв. № 42949 И Ш хр 9617
Поступило из коллекции А. П. Бахрушина в 1905 г.
На листьях-полосах дерева написаны поучения человеку по поводу нравственной жизни. Тексты, хотя и отличаются от тех, которые известны в сюжетах «древо полезные советы» и «из алфавита духовного», по смыслу близки им: «Зри, яко мир сей прелестен есть и превратен», «чистоту и целомудрие возлюби» и т. д.
THE TREE OF REASON.1816
Anonymous artist
Ink, tempera, white, gold. 71×57
The water-mark is not clearly seen, date: 1812
The title "The Tree of Reason" is under the tree, and the text of 6 lines – in the cartouche.
Acq. No. 42949 И Ш, 9617
From the A. P. Bakhrushin collection (1905)
The leaves of the tree carry moral directions to man different from those given in The Tree of Useful Advice and The Spiritual Alphabet, but similar to them in meaning.

36. СТИХИ «ПОХВАЛА ДЕВСТВЕННИКАМ». 1836
Неизвестный художник
Чернила, темпера, золото. 45,5×36,5
—
Название: «Духовнаго стихословия». Ниже текст в 27 строк: «Прекрасно девство, где воистину сияет. Далече... и в царствие всели». В нижней части листа дата: «1836 го ГОДА».
Инв. № 42949 И Ш хр 10030
Поступило из коллекции А. П. Бахрушина в 1905 г.
Духовный стих прославляет девственность и безбрачие как образец чистоты и залог нравственного спасения.
VERSES "A PRAISE TO THE VIRGIN" 1836
Anonymous artist
Ink, tempera, gold. 45.5×36.5
—
There is the title and the text of 27 lines below. The date "The year of 1836" stands in the lower part of the sheet.
Acq. No. 42949 И Ш, 10030
From the A. P. Bakhrushin collection (1905)
The verse glorifies celibacy and virginity as the model of purity and a guarantee of spiritual salvation.

37. ПЕСНОПЕНИЕ «ВО СВЯТУЮ И ВЕЛИКУЮ СРЕДУ...». Вторая половина XIX в.
Неизвестный художник
—
Чернила, темпера, золото. 70,5×52,7
Название: «Во Святую и Великую среду вечер славник. Глас 8». Текст на крюковых нотах в 21 строку: «Господи яже во мнозе... милость». Нотация знаменная, с пометами.
Инв. № 42949 И Ш хр 12784
Поступило из коллекции А. П. Бахрушина в 1905 г.
Песнопение 8-го гласа вечерней службы Великой среды (пасхальная седмица). Глас — совокупность мелодико-интонационных формул церковного осмогласия.
HYMN GLORIFYING THE HOLY AND GREAT WEDNESDAY. Second half 19th century
Anonymous artist
Ink, tempera, gold. 70.5×52.7
The title and the text of 21 lines on the hook type music.
The music bears marks.
Acq. No. 42949 И Ш, 12784
From the A. P. Bakhrushin collection (1905)
Spiritual hymns performed during the evening divine service on Great Wednesday (the Holy Week).

38. КАЛЕНДАРЬ-МЕСЯЦЕСЛОВ. Первая четверть XIX в.
Неизвестный художник
Чернила, темпера. 59,2×48,3
Бумага с филигранью J Kool Comp./Seven provinces (без круга)
Клепиков I, № 1154. 1790—1800-е гг.
На обороте дарственная надпись: «вручить сии святцы Лву Сергеичу и Александре Петровне вкупе обем гостинца».
Инв. № 39769 И Ш хр 12836
Приобретено у Фролова в 1902 г.
Аналогичная композиция кат. 39, 40—42
Календари (кат. 38—42) выполнены по одному образцу — числа обозначены буквами, месяцы расположены начиная с сентября, названия дней недели отсутствуют. Старообрядцы придерживались старого способа времяисчисления, принятого в России до 1700 г., когда год начинался 1 сентября. В календарях-святцах содержатся сведения о поминальных днях, о праздниках. Календари украшены изображениями цветов, плодов или обнаженных кустов и голых деревьев, соответственно месяцу или времени года, когда природа расцветает или увядает.

MONTHLY CALENDAR. First quarter 19th century
Anonymous artist
Ink, tempera. 59.2×48.3
Paper with the J Kool Comp/Seven provinces (without a circle) water-mark.
Klepikov I, No. 1154. The 1790–1800s
There is a dedicatory inscription on the reverse.
Acq. No. 39769 И Ш, 12836
Purchased from Frolov in 1902
Analogous composition cat. 39, 40, 42

43

44

The calendars (cat. 38—42) are made to one model, when the dates are denoted with letters, the months begin from September and the days of the week are not named. Old-believers in Russia adhered to old calendar used in the country before 1700 when the year began on September I. The church calendars also tell of the commemorative days and all church holidays. The calendars are decorated with flowers, fruit and leafless bushes and trees according to the season characterised by flourishing or fading of nature.

39. КАЛЕНДАРЬ-МЕСЯЦЕСЛОВ. Первая половина XIX в.
Неизвестный художник
Чернила, темпера, золото. 25,4×38,4
—
Инв. № 67424 И Ш 28924
Аналогичная композиция кат. 38, 40, 42
Представлены месяцы с марта по август.
MONTHLY CALENDAR. First half 19th century
Anonymous artist
Ink, tempera, gold. 25.4×38,4
—
Acq. No. 67424 И Ш 28924
Analogous composition cat. 38, 40—42
The months from March to August are represented.

40. КАЛЕНДАРЬ-МЕСЯЦЕСЛОВ. 1830-е гг.
Неизвестный художник
Чернила, темпера, золото. 72×54,3
—
Инв. № 52789 И Ш 28918
Приобретено у А. А. Бахрушина в 1921 г.
Аналогичная композиция кат. 38, 39, 41, 42
На картинке имеется таблица с исчислением Пасхалии с 1830 по 1851 г.
MONTHLY CALENDAR. The 1830s
Anonymous artist
Ink, tempera, gold. 72×54.3
—
Acq. No. 52789 И Ш 28918
Purchased from A. A. Bakhrushin in 1921
Analogous composition cat. 38, 39. 41, 42
A table in the picture helps determine the Easter in the period from 1830 to 1851

41. КАЛЕНДАРЬ-МЕСЯЦЕСЛОВ. 1830-е гг.
Неизвестный художник
Чернила, темпера. 68×51
—
Инв. № 40836
Приобретено «на торгу» в 1902 г.
Аналогичная композиция кат. 38—40, 42
На картинке имеется таблица с исчислением Пасхалии с 1832 по 1852 г.
MONTHLY CALENDAR. The 1830s
Anonymous artist
Ink, tempera. 68×51
—
Acq. No. 40836

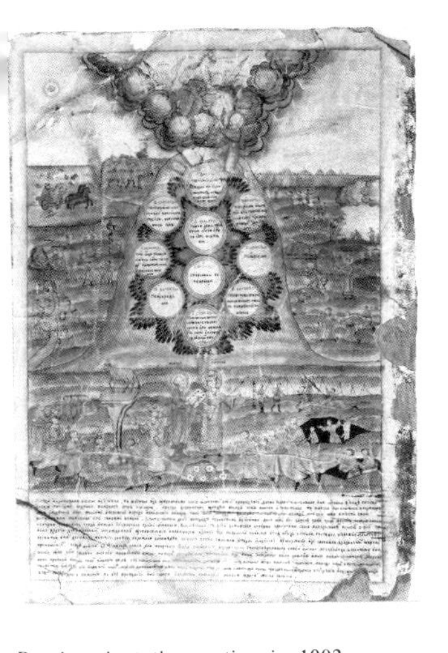

46

Purchased at the auction in 1902
Analogous composition cat. 38–40, 42
A table in the picture helps determine the Easter in the period from 1832 to 1852.

42. КАЛЕНДАРЬ-МЕСЯЦЕСЛОВ.
1830-е гг.
Неизвестный художник
Чернила, темпера, золото. 66×51
—
Инв. № 67424 И Ш хр 10017
Аналогичная композиция кат. 38—41
На картинке имеется таблица с исчислением Пасхалии с 1836 по 1862 г.
MONTHLY CALENDAR. The 1830s
Anonymous artist
Ink, tempera, gold. 66×51
—
Acq. No. 67424 И Ш 10017
Analogous composition cat. 38–41
A table in the picture helps determine the Easter in the period from 1836 to 1862.

ЛИСТЫ, ПОДРАЖАЮЩИЕ ПО МАНЕРЕ ПОМОРСКИМ

43. СОТВОРЕНИЕ ЧЕЛОВЕКА, ЖИЗНЬ АДАМА И ЕВЫ В РАЮ, ИЗГНАНИЕ ИЗ РАЯ. Середина XIX в.
Неизвестный художник
Чернила, темпера. 56,5×75,5
—
Текст состоит из трех частей. Левая колонка в 6 строк: «Седе Адам прямо рая и... затворен еси». Средняя часть в 10 строк: «Господь сотвори человека, взем персть от земли и вдуну в лице его дыхание жизни, и бысть человек в душу живу, и нарече имя ему Адам, еже есть земен... сти. Тогда разгневася Господь на змия, проклят ю во всех скотах и зверях, и осуди ю вечно враждотвфствовати между женою и чадами ея на чреве же и персех ползати по земли».
Правая колонка в 4 строки: «Адам же по изгнании... и сетуя и плакася горко».
Инв. № 42949 И Ш хр 9644
Поступило из коллекции А. П. Бахрушина в 1905 г.
Аналогичная композиция кат. 8, 44

PRINTS IMITATING THE POMORYE LOUBOKS

CREATION OF MAN, ADAM AND EVE IN PARADISE, BANISHMENT FROM PARADISE. Mid-19th century
Anonymous artist
Ink, tempera. 56.5×75.5
—
The text is composed from three parts: the left column in 6 lines, the central part in 8 lines and the right column in 4 lines.
Acq. No. 42949 И Ш 9644
From the A. P. Bakhrushin collection (1905)
Analogous composition cat. 8, 44

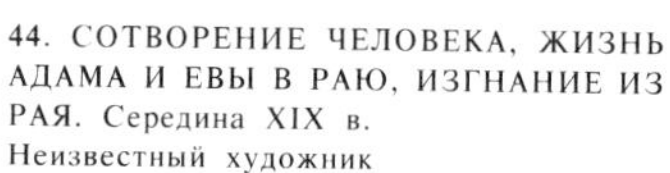

47

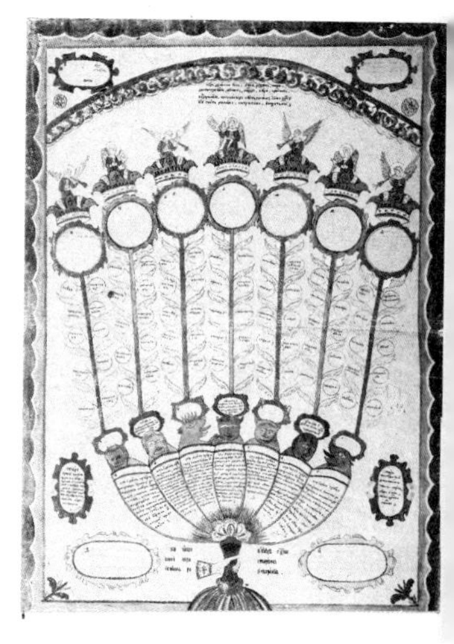

44. СОТВОРЕНИЕ ЧЕЛОВЕКА, ЖИЗНЬ АДАМА И ЕВЫ В РАЮ, ИЗГНАНИЕ ИЗ РАЯ. Середина XIX в.
Неизвестный художник
Тушь, темпера. 51,5×63
—
Текст состоит из трех частей. Левая колонка в 6 строк: «Седе Адам прямо рая... затворен еси». Средняя часть в 8 строк: «Господь сотвори человека, взем персть от земли и вдуну в лице его дыхание жизни, и бысть человек в душу живу, и нарече имя ему Адам. И рече Бог не добро бысть человеку е... яко сотворила зло сие». Правая колонка в 5 строк: «Адам же по изгнании из рая... и плакася горко».
Инв. № 42776 И Ш 61090
Приобретено «на торгу» в 1905 г.
Аналогичная композиция кат. 8, 43
CREATION OF MAN, ADAM AND EVE IN PARADISE, BANISHMENT FROM PARADISE. Mid-19th century
Anonymous artist
Indian ink, tempera. 51.5×63
—
The text is composed from three parts: the left column in 6 lines, the central part in 10 lines and the right column in 5 lines.
Acq. No. 42776 И Ш 61090
Purchased at the auction in 1905
Analogous composition cat. 8, 43

45. КАРТИНКА НА СЮЖЕТЫ БИБЛЕЙСКОЙ КНИГИ «ИСХОД». Вторая половина XIX в.
Неизвестный художник
Чернила, темпера. 72,5×52
—
Под картинкой текст в 12 строк: «Когда израилитяне вышли из Египта, то шествие их управляемо было особливым Божиим Провидением, днем правителствовало ими облако в виде столпа... воды нигде достать не могли, то Бог произвел им оную ис камня, приказал Моисею ударить жезлом своим».
Инв. № 38356 И Ш 61099
Приобретено у П. С. Кузнецова в 1900 г.
Редкий пример иллюстрирования содержания целой книги на одном листе. Композиция включает эпизоды получения Моисеем десяти заповедей на горе Синае, переход израилитян через море, иссечение воды из скалы, собирание «манны небесной», осуждение Моисеем поклонения золотому тельцу, устройство святилища и скинии с ковчегом завета. В центре изображена гора Синай, на которой на дереве в кругах написаны тексты десяти заповедей.
ILLUSTRATION TO THE BIBLE, BOOK "EXODUS". Second half 19th century
Anonymous artist
Ink, tempera. 72.5×52
—
The text is in 12 lines under the picture.
Acq. No. 38356 И Ш 61099
Purchased from P. S. Kuznetsov in 1900

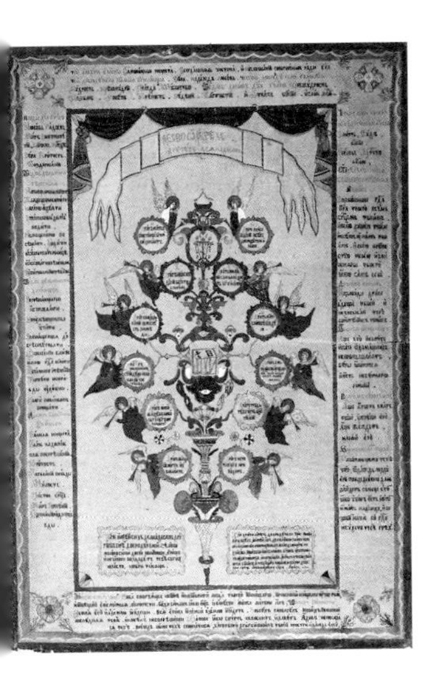

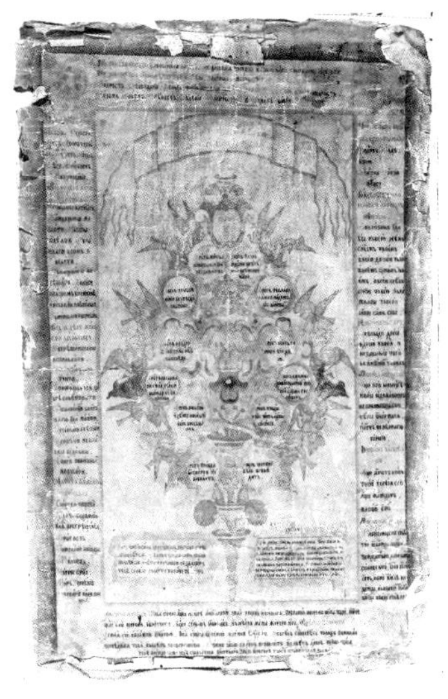

50

A rare example of illustrating a whole book on a single sheet. The composition includes the story of how Moses got the ten commandments on Mount Sinai, the Israelites crossing the sea, getting water from the rock, gathering Manna, condemning worshipping the Golden Calf, and making the sanctuary and tabernacle.
The circles on the tree growing on Mount Sinai carry the text of the ten commandments.

46. ПЕЧАТЬ ПРЕМУДРОГО ЦАРЯ СОЛОМОНА. Середина XIX в.
Неизвестный художник
Чернила, темпера. 44,7×35,8
—
Инв. № 16116 И Ш 64941
Поступило из коллекции П. И. Щукина в 1905 г.
В центре картинки изображена печать, представляющая собой квадрат, разбитый на 25 клеток. Вокруг помещены тексты толкований на каждую букву печати.
Личность царя Соломона связана с библейской книгой притч Соломоновых, но существование печати и толкование ее смысла относится к числу апокрифов.
Сюжет с печатью царя Соломона известен в гравированных картинках. Наиболее ранние листы имели вместо словесных толкований изображения сцен из Ветхого и Нового заветов: Ровинский I, т. 3, № 798.
История апокрифического сюжета изложена в кн.: Ровинский I, т. 4, с. 581—586.

SEAL OF THE WISE KING SOLOMON. Mid-19th century
Anonymous artist
Ink, tempera. 44.7×35.8
—
Acq. No. 16116 И Ш 64941
From the P. I. Shchukin collection (1905)
The picture is centred around the seal in the form of a Square divided into 25 cells. Around are the texts of the psalms on every letter of the seal.
King Solomon was associated with the biblical book of Solomon's parables but the seal and the interpretation of its meaning belong to apocrypha. The subject with the seal is found in loubok engravings. More ancient sheets had, instead of verbal interpretation, pictures illustrating scenes from the Old and New Testament: Rovinsky I, vol. 3, No 798.
The story of the apocryphal theme was dealt with in the book: Rovinsky I, vol. 4, pp. 581–586.

47. РАЙСКАЯ ПТИЦА СИРИН. Первая половина XIX в.
Неизвестный художник

51

Чернила, темпера, золото. 74×51,2

—

Название в картуше: «Птица Сирин святаго и блаженнаго рая». Далее текст в 4 строки: «Аще человек глас ея услышит, пленится мысльми и... дондеже пад умирает, гласа ея слышати не престает». Над головой птицы надпись: «Видом и гласом». Под картинкой заглавие: «Есть же о птице сей сказание таково». Текст в 5 строк: «Во странах убо индийских, яже ближайши прилежат месту райскому, обычай имеет являтися птица сия и глашати...»

Инв. № 47381

Приобретено «на торгу» в 1911 г.

Аналогичная композиция кат. 16—18

SIRIN, THE BIRD OF PARADISE. First half 19th century

Anonymous artist

Ink, tempera, gold. 74×51.2

—

The title is in the cartouche, the text in 4 lines follows. Above the bird's head – an inscription. The title is also under the picture and the text in 5 lines below it.

Acq. No. 47381

Purchased at the auction in 1911

Analogous composition cat. 16–18.

48. СЕМЬ СМЕРТНЫХ ГРЕХОВ. Вторая половина XIX в.

Неизвестный художник

Чернила, темпера, белила. 102,1×70,3

—

Инв. № 52789 И Ш хр 8689

Приобретено у А. А. Бахрушина в 1921 г.

Аналогичная композиция кат. 71, 139

Сюжет относится к числу самых распространенных в рисованном лубке. Существует две разновидности его воплощения. На картинках данного типа изображалась рука, держащая чашу с семью звериными мордами, обозначающими «смертные грехи» — зависть, уныние, гордость, распутство, гнев. Вверх растут стебли с листьями и кругами, где написаны названия мелких пороков. Вверху помещены круги под коронами с описаниями добродетелей, противостоящих грехам. Прототипом этой разновидности листов является гравюра мастера середины XVIII в. М. Нехорошевского: Ровинский I, т. 3, № 780; т. 4, с. 568—569.

THE SEVEN MORTAL SINS. Second half 19th century

Anonymous artist

Ink, tempera, white. 102.1×70.3

—

Acq. No. 52789 И Ш, 8689

Purchased from A. A. Bakhrushin in 1921.

Analogous composition cat. 71, 139

The subject belongs to the most widely spread themes in popular prints. Two types of its realization exist: the pictures of the type under consideration depict a hand holding a vessel with seven beasts' muzzles personifying mortal sins – envy, gloom, pride, decline, anger. Stems with leaves are growing

up carrying the circles where smaller sins are written. Circles under crowns with the description of virtues opposing sins are placed in the upper part. Engraving by master M. Nekhoroshevsky of the mid-18th century served a prototype for this group of pictures.
Rovinsky I, vol. 3, No. 780, vol. 4, pp. 568–569.

49. О ДОБРЫХ ДРУЗЬЯХ ДВЕНАДЦАТИ. Вторая половина XIX в.
Неизвестный художник
Чернила, темпера, белила. 102×70
—
Название на ленте: «Десво о добрех друзех дванадесять».
Инв. № 52789 И Ш хр 12820
Приобретено у А. А. Бахрушина в 1921 г.
Аналогичная композиция кат. 50
В кругах написаны названия добродетелей. По периметру листа идет обширный текст с толкованием изречений о праведном образе жизни.
ABOUT THE TWELVE KIND FRIENDS. Second half 19th century
Anonymous artist
Ink, tempera, white. 102×*70*
—
The title is on the ribbon.
Acq. No. 52789 И Ш, 12820
Purchased from A. A. Bakhrushin in 1921
Analogous composition cat. 50
The circles envelop the names of the virtues. Along the edge of the sheet runs the text with dictums concerning the righteous way of life.

50. О ДОБРЫХ ДРУЗЬЯХ ДВЕНАДЦАТИ. Вторая половина XIX в.
Неизвестный художник
Чернила, темпера. 94,5×62
—
Название на ленте: «Десво о добрех друзех дванадесять».
Инв. № 39771 И Ш 61102
Приобретено у Фролова в 1902 г.
Аналогичная композиция кат. 49
ABOUT THE TWELVE KIND FRIENDS. Second half 19th century
Anonymous artist
Ink, tempera. 94.5×62
—
The title is on the ribbon.
Acq. No. И Ш 61102
Purchased from Frolov in 1902
Analogous composition cat. 49

51. СЛАВНИК БОГОРОДИЦЕ. Середина XIX в.
Неизвестный художник
Чернила, темпера, золото. 61,5×47
—
Название: «Славник пресвятей Богородице. Глас 5». Текст в 12 строк на крюковых нотах: «Что твою Богородительнице чистая нареку церько... велию милость». Нотация знаменная, с пометами.
Инв. № 38467 И Ш 61109
Приобретено «на торгу» в 1900 г.
Иллюстрации к Славнику связаны с символическими толкованиями Богородицы, со словесными уподоблениями ее ковчегу завета, скрижалям, скинии.
Глас 5 является указанием на тип музыкального лада в системе церковного осмо-

54

гласия. (Осмогласие — гамма древнерусского пения, в котором тоны и полутоны чередуются по определенным правилам).
GLORIFICATION OF THE VIRGIN. Mid-19th century
Anonymous artist
Ink, tempera, gold. 61.5×47
—
There is the title and the text in 12 lines on the hook-type music with marks.
Acq. No. 38467 И Ш 61109
Purchased at the auction in 1900.
Illustrations to the Glorification (Slavnik) are connected with symbolic interpretation of the image of the Virgin, with verbal likening her to the ark of the covenant from the Old Testament, the stone tablets of the covenant and tabernacle.

52. СТИХ, ПОРИЦАЮЩИЙ ПЬЯНСТВО. Конец XIX — начало XX в.
Художник П. Петухов
Чернила, темпера. 40×30
—
Название: «Стих о пьянице. Глас 6». Текст в 23 строки на крюковых нотах: «Рече Господь к пьянице, о злый человече пияный смрадный и окаля... во веки, аминь». Нотация знаменная, с пометами. В правом нижнем углу подпись мастера: «Писал П. Петухов».
Инв. № 42201 И Ш хр 22337
В тексте стиха религиозная тематика переплетается с суждениями о добре и зле, о нравственном поведении и активно осуждается пьянство. «Стих о пьянице» представляет собой редкий и нетрадиционный образец духовного стиха, не вошедший в известные фольклорные сборники.
VERSE CENSURING ALCOHOLISM. Late 19th-early 20th century
Artist P. Petukhov
Ink, tempera. 40×30
—
There is the title and text in 23 lines on the hook-type music, with marks. In the lower corner to the right the master left his signature: Done by P. Petukhov.
Acq. No. 42201 И Ш, 22337
Religious theme is intertwined in the verse with the words about good and evil, moral behaviour and about censuring alcoholism. "Verses about Drankard" is a rare non-traditional example of spiritual verses not included in famous collections of folklore.

ПРОИЗВЕДЕНИЯ ПЕЧОРСКОГО ЦЕНТРА

53. С. ДЕНИСОВ, И. ФИЛИППОВ, Д. ВИКУЛОВ. Середина XIX в.
Неизвестный художник
Чернила, темпера. 35×74,5
—
Инв. № 35264 И П 1896
Приобретено «на торгу» в 1898 г.
Иван Филиппов (1661—1744) — историк Выговского монастыря, его четвертый киновиарх (1741—1744). Написанная им книга «История о зачале Выговской пустыни» содержит ценные материалы об основании общежительства и о первых десятилетиях его существования.
О С. Денисове и Д. Викулове см. кат. 2

55

PRINTS OF THE PECHORA CENTRE

S. DENISOV, I. FILIPPOV, D. VIKULOV. Mid-19th century
Anonymous artist
Ink, tempera. 35×74.5
—
Acq. No. 35262 И Ш 1896
Purchased at the auction in 1898
Ivan Filippov (1661–1744) was the historian of the Vygovsky Monastery and its fourth kinoviarch (1741–1744). His book "The History of the Vygovsky Monastery" contains much precious information of how the commune was founded and about the first decades of its existence. About Denisov and Vikulov see cat. 2.

54. М. ПЕТРОВ, П. ПРОКОПЬЕВ. Середина XIX в.
Неизвестный художник
Чернила, темпера. 35×48
—
Инв. № 35264 И П 1895
Приобретено «на торгу» в 1898 г.
Отделившаяся часть картинки кат. 53
Мануил Петров (1691—1759) — пятый киновиарх Выговского монастыря (1745—1759). Был близок с А. Денисовым, участвовал в составлении «Поморских ответов».
О П. Прокопьеве см. кат. 2
M. PETROV, P. PROKOPYEV. Mid-19th century
Anonymous artist
Ink, tempera. 35×48
—
Acq. No. 35264 И Ш 1895
Purchased at the auction in 1898
A part of the picture cat. 53
Manuil Petrov (1691–1759) was appointed the fifth kinoviarch of the Vygovsky Monastery (1745–1759). He was an associate of A. Denisov and took part in composing "The Pomorye Answers". About P. Prokopyev see cat. 2

ПРОИЗВЕДЕНИЯ СЕВЕРОДВИНСКОГО ЦЕНТРА

55. ИЛЛЮСТРАЦИЯ К ТЕКСТУ 79 ПСАЛМА ДАВИДА О НАСАЖДЕНИИ ВИНОГРАДНОЙ ЛОЗЫ. Середина XIX в.
Неизвестный художник
Чернила, карандаш, темпера. 33,4×43,3
—
Вверху текст в 4 строки: «Псалом 79, стих 8. Виноград из Египта принесе, изгнал еси языки и насадил еси и. Путь сотворил еси пред ним, и насади корения его, и исполни зем... сей. И соверши его, его же укрепил еси себе. Пожжен огнем и раскопан от запрещения лица тво...» Внизу текст в 2 строки: «Буди рука Твоя на мужа десница Твоя, и на сына человека, его же укрепил еси себе. И не отступим от Тебе живиши ны, и имя твое призовем. Господи Боже сил, обрати ны и яви лице Твое, и спасени будем».
Инв. № 52789 И Ш хр 10480
Приобретено у А. А. Бахрушина в 1921 г.
Картинка сочетает трактовку стихов псалма о насаждении виноградной лозы со

56

сложной символической композицией, в которой участвуют праведные цари, ангелы и дьявол, принимающий человеческое обличье и рубящий виноградную лозу.

Давид — израильский царь (царствовал с 1055 до 1015 г. до н. э.), персонаж библейских книг, автор религиозно-нравственных псалмов.

PRINTS OF THE NORTHERN DVINA CENTRE

ILLUSTRATION TO TEXT 79 OF DAVID'S PSALM ABOUT PLANTING VINE. Mid-19th century

Anonymous artist

Ink, pencil, tempera. 33.4×43.3

—

At the top is the text in 4 lines, below — another text in 2 lines.

Acq. No. 52789 И Ш, 10480

Purchased from A. A. Bakhrushin in 1921

The picture combines the reading of the psalm verses about planting vine with a complex symbolic composition, uniting righteous kings, angels and the devil who has assumed man's appearance and is felling the vine.

David is the King of Israel (reigned from 1055 till 1015 BC), personage of the Bible and the author of psalms on religious and moral topics.

56. ИЗОБРАЖЕНИЕ РАЯ. Первая половина XIX в.

Неизвестный художник

Чернила, темпера. 32×40,5

—

Инв. № 47454 И Ш 61083

Приобретено «на торгу» в 1911 г.

Литература: Лубок II, с. 75, 92

Картинка не является иллюстрацией к какому-то определенному сюжету. На рисунке нет никаких надписей, позволивших бы конкретизировать сюжет.

Композиция не имеет аналогий

PICTURE OF PARADISE. First half 19th century

Anonymous artist

Ink, tempera. 32×40.5

—

Acq. No. 47454 И Ш 61083

Purchased at the auction in 1911

Literature: Loubok II, pp. 75,92

This is not an illustration to any definite subject, and there are no inscriptions facilitating the identification of the subject.

The composition has no analogies.

57. РАЙСКАЯ ПТИЦА СИРИН. Начало 1820-х гг.

Неизвестный художник

Чернила, темпера. 35,5×42,3

Бумага с филигранью В М М и Б с датой 1818 — Вологодская мануфактура Мартьяновых и Белозерских

Клепиков II, № 138

Название: «Сия птица святаго и блаженнаго рая именуемая Сирин».

Инв. № 40656 И Ш 61081

Приобретено у П. С. Кузнецова в 1902 г.

57

SIRIN, THE BIRD OF PARADISE. The 1820s
Anonymos artist
Ink, tempera. 35.5×42.3
Paper with the B M M uB water-marks dated 1818 – Vologda factory of the Martyanovs and Belozerskys.
Klepikov P, 138
Acq. No. 40656 И Ш 61081
Purchased from P. S. Kuznetsov in 1902

58. РАЙСКАЯ ПТИЦА СИРИН. Середина XIX в.
Неизвестный художник
Чернила, темпера. 34,4×41,8
—
Лист имеет утраты по краям. По верхнему краю картинки надпись: «...яже глаголю райскую птицу, иже кто глас ея... и во след ея идет и вся здешняя зобывает... не мог, пад умирает».
Инв. № 43499 И Ш хр 10046
Приобретено «на торгу» в 1906 г.
SIRIN, THE BIRD OF PARADISE. Mid-19th century
Anonymos artist
Ink, tempera. 34.4×41.8
—
The sheet is damaged by the edging. An inscription runs along the upper edge of the picture.
Acq. No. 43499 И Ш, 10046
Purchased at the auction in 1906

59. ЦАРСКИЙ ПУТЬ. Конец XIX в.
Неизвестный художник
Чернила, темпера. 44×36
Бумага со штемпелем «фабрика наследников Сумкина № 6»
Клепиков I, № 201. 1880—1890-е гг.
Инв. № 61877 И Ш хр 8580
Поступило из Государственного музейного фонда в 1927 г.
Картинка иллюстрирует высказывания Никона Черногорца о соблазнах на жизненном пути человека. Никон (вторая половина XI в.) — церковный писатель, монах Черной горы (близ Антиохии), автор книг «Пандекты» и «Тактикон». Смысл обличений Никона в осуждении пьянства, скоморошичьих игр, «блудодеяний», смертоубийств, стремления женщин к украшательству. Во всех сценах картинки активно действуют бесы-мурины. Они совращают человека с праведного «царского» пути: поят мужчин вином, примеряют женщинам венцы и бусы, подговаривают предаваться бурным развлечениями — играть на рожках, гуслях и плясать.
Несколько сценок, а именно изображение мужчин у бочки с вином и женщин, примеряющих наряды, полностью перенесено в картинку из миниатюр рукописей: ГИМ, Щук. 403, л. 52, 53; Муз. 115, л. 62, 63.
REGAL ROUTE. Late 19th century
Anonymous artist
Ink, tempera. 44×36
Paper with the stamp "Factory of the Sumkin Heirs No. 6"
Klepikov I, No. 201. The 1880–1890s
Acq. No. 61877 И Ш, 8560

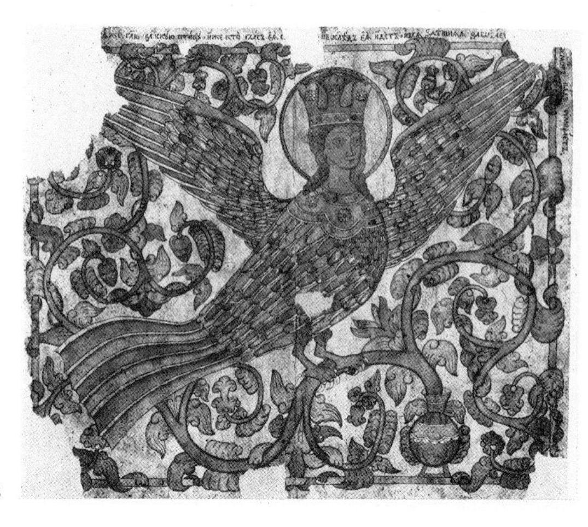

58

From the State Museum Foundation (1927). The picture illustrates dictums of Nikon Chernogorets on temptations met by man during his lifetime. Nikon (second half 11th century) was a church writer and a monk at the Chornaya Gora near Antioch.
Nikon's pathos was in denouncing alcoholism, vices, murder and entertainments. The devils are active participants in all the scenes. They seduce man from the righteous way: they make drankards of men, bring beads and other decoration to men, seducing them to take part in playing horns, gusli and dancing.
Some of the episodes, with men at the barrel with wine and women putting on attires, were filly borrowed from miniatures: The Historical Museum, Shchuk. 403, 1. 52,53, Muz. 115, 1. 62,63.

ПРОИЗВЕДЕНИЯ ВОЛОГОДСКОГО ЦЕНТРА

60. КАРИКАТУРА НА ВНЕШНЕПОЛИТИЧЕСКУЮ СИТУАЦИЮ 1850—1870-х гг. Начало XX в.
Неизвестный художник
Чернила, темпера. 36×43
—
Название: «О хо хо тяжел руска мужик и кулаком и весом».
Инв. № 67591 И Ш хр 24267
Привезено историко-бытовой экспедицией ГИМа в 1928 г. из Вологодской области. Картинка высмеивает союзников Турции (Англию, Францию, Австрию и Пруссию), которые не могут победить Россию.
Рисунок является перерисовкой печатных литографированных лубков, дважды издававшихся без каких-либо композиционных изменений в связи со сходной для России внешнеполитической ситуацией. Первый раз лубок был выпущен издателем П. Н. Шараповым во время войны 1853—1856 гг. (ГИМ, 42949 И Ш хр 4449), вторично его напечатали во время русско-турецкой войны 1877—1878 гг. (ГИМ, 46860 И Ш хр 4448).

PRINTS OF THE VOLOGDA CENTRE

CARICATURE ON THE INTERNATIONAL SITUATION IN THE 1850–1870s.
Early 20th century
Anonymous artist
Ink, tempera. 36×43
—
Acq. No. 67591 И Ш, 24267
Brought by the historical expedition sponsored by the Historical Museum to the Vologda Region in 1928. The picture mocks Turkey's allied countries, Britain, France, Austria and Prussia, unable to win Russia.
The drawing is copying loubok engravings twice published without any definite changes in connection with the similar for Russia international situation. First the loubok was put out by publisher P. N. Sharapov during the war of 1853–1856. (The Historical Museum, 42949 И Ш, 4449) while for the second time it was published during the war between Russia and Turkey in 1877–1878. (The Historical Museum, 46860 И Ш, 4448).

59

61. СРАВНИТЕЛЬНОЕ ИЗОБРАЖЕНИЕ НЕКОТОРЫХ АТРИБУТОВ ОБРЯДНОСТИ И СИМВОЛИКИ, ПРИНЯТЫХ У СТАРООБРЯДЦЕВ И В ОФИЦИАЛЬНОЙ ПРАВОСЛАВНОЙ ЦЕРКВИ. Вторая половина XIX в.
Неизвестный художник
Чернила, темпера. 64,5×83,5
—
Инв. № 28179 И Ш 61094
Приобретено у С. Т. Большакова в 1893 г.
К традиционной композиции с противопоставлением «старой» и «новой» церкви добавлено изображение сцен апокалиптических видений: жены с «крыльями большого орла» и семиголового змия, который испускает из уст реку, падающую отвесно на землю.

ATTRIBUTES OF THE DIVINE SERVICE AND SYMBOLS USED BY OLD-BELIEVERS AND THE RUSSIAN ORTHODOX CHURCH. Second half 19th century
Anonymous artist
Ink, tempera. 64.5×83.5
—
Acq. No. 28179 И Ш, 61094
Purchased from S. T. Bolshakov in 1893
Scenes of apocalypse visions are added to the traditional composition with the opposition of the "Old" and "New" churches.: women with the wings of a big eagle, and a snake of seven heads giving off a river from their mouth which falls vertically to the ground.

62. ТРАПЕЗА БЛАГОЧЕСТИВЫХ И НЕЧЕСТИВЫХ. Середина XIX в.
Неизвестный художник
Чернила, карандаш, темпера. 34,5×41,8
Бумага с частью филиграни А Н В Ф — А. Н. Воскресенская фабрика 6 разбора
Клепиков I, № 41 а. 1830-е гг.
Слева текст в 4 строки: «Сия трапеза благочестивых людей, ядущих на трапезе... силою христовою помрачает». Справа текст в 4 строки: «Сия трапеза неблагодарных людей, пияниц, празднословцев... де бесов с ними на трапезе предстоящих».
На обороте указание цены: «гривеник»
Инв. № 42949 И Ш хр 9209
Поступило из коллекции А. П. Бахрушина в 1905 г.

60

Аналогичный сюжет кат. 135

Картинки (кат. 62, 135) являются иллюстрациями к притче, восходящей к сборнику слов и поучений Иоанна Златоуста, в которой противопоставляется тихое и благочестивое поведение за столом и буйное веселье, которому радуются черти.

Притча попала в гравированные народные картинки еще в середине XVIII в. и неоднократно переиздавалась: Ровинский I, т. 3, № 757—758; т. 4, с. 558—560. Рисованные лубки не копируют гравированные листы, а разрабатывают тему в близкой форме.

MEAL OF THE RIGHTEOUS AND UNGODLY. Mid-19th century

Anonymous artist

Ink, pencil, tempera. 34.5×41.8

Paper with a fragment of the water-mark А Н В Ф—А. Н

Voskresenskaya factory.

Klepikov I, No. 41 a. The 1830s

The text in 4 lines is to the left and to the right. On the reverse is the price

Acq. No. 42949 И Ш, 9209

From the A. P. Bakhrushin collection (1905)

Analogous composition cat. 135

The pictures (cat. 62, 135) illustrate the parable going back to the collection of words and dictums composed by St. John Chrysostom, where quiet and modest manners at the table are opposed to wild merriment, bringing joy to the devils.

The parable began to appear in the folk engravings already in the middle of the 18th century and was republished: Rovinsky I, vol. 3, No. 757—758, vol. 4. pp. 558—560. The prints do not copy the engravings but give a similar interpretation of the theme.

63. ИСТОРИЯ О «НЕМИЛОСТИВОМ ЧЕЛОВЕКЕ, ЛЮБИТЕЛЕ ВЕКА СЕГО». Середина XIX в.

Неизвестный художник

Чернила, темпера. 34,2×42,8

—

На обороте надпись, указывающая цену: «осми гривенок»

Инв. № 42949 И Ш 61058

Поступило из коллекции А. П. Бахрушина в 1905 г.

На картинке изображена история, заимствованная из сборника «Великое зерцало» (гл. 224), где рассказывается, как богатого человека мучают на том свете черти за все удовольствия, которым он любил предаваться при жизни. Сатана приказывает парить его в огненной бане, укладывать на огненное ложе, поить расплавленной серой и т. д.

Сюжет известен в гравированном лубке: Ровинский I, т. 3, № 726; т. 4, с. 544; т. 5, с. 15,212.

STORY OF THE MERCILESS MAN, THE LOVER OF EARTHLY BLESSINGS. Mid-19th century

Anonymous artist

Ink, tempera. 34.2×42.8

—

There is a price on the reverse

Acq. No. 42949 И Ш 61058

From the A. P. Bakhrushin collection (1905)

The picture presents a story borrowed from the book "The Great Mirror" (ch. 224) telling of how a rich man is tortured by the devils for all earthly blessings he loved so much. The subject is found in loubok engravings: Rovinsky I, vol. 3, No. 726, vol. 4, p. 544, vol. 5, pp.15,212.

61

64. НАКАЗАНИЕ ЛЮДВИКУ ЛАНГРАФУ ЗА ГРЕХ СТЯЖАНИЯ. Конец XIX в.
Неизвестный художник
Чернила, темпера. 54,3×38,5
—
Название: «Книга мирозрительное зерцало, глава 257. Стяжание неправедно, стяжани дерзнув некий ланграф, терпяше велие мучение адское». Ниже текст в 23 строки: «Людвик ланграф великий мучитель, людей... токмо аз и сынове мои. Той же прият знамение, а ланграфа ввергоша в бездну, и возврати диавол клирика».
Инв. № 47524 И Ш 61115
Приобретено у А. А. Великанова в 1911 г.
Аналогичная композиция кат. 68
Картинки (кат. 64, 68) иллюстрируют притчу из «Мирозрительного зерцала» (гл. 257), где рассказывается о наказании, постигшем богатого человека за то, что он наложил на своих подданных тяжелые подати и «много зла творяше». Художники изображают, как дьявол, посадив себе на шею клирика-чернокнижника, к которому обратился сын умершего ланграфа с просьбой сообщить, где находится душа отца, привозит его в ад и просит черта показать им мучения Людвика. Черт опускает в бездну медную трубу, вызывает душу ланграфа и, открыв крышку «огненного притвора», показывает охваченного языками пламени мучающегося Людвика.
Картинки полностью совпадают по композиции, восходят к общему оригиналу. В текстовых частях есть незначительные расхождения стилистического характера.

PUNISHMENT TO LANDGRAF LUDWIG FOR THE SIN OF MONEY-GRUBBING.
Late 19th century
Anonymous artist
Ink, tempera. 54.3×38.5
—
There is the title and the text in 23 lines on the picture.
Acq. No. 47524 И Ш 61115
Purchased from A. A. Velikanov in 1911
Analogous composition cat. 68
The pictures (cat. 64, 68) illustrate the parable from the "Mirror of the World" (ch. 257) telling of the punishment deserved by a rich man for money-grubbing and evil acts. The artist depicted the devil having put a churchman on his neck brings him to the Hell to show the suiferings of Ludwig. Ludwig's son approached the churchman with the request to find his fatheŕs soul and the devil puts a copper tube into the abyss and opens the lid of the aflamed boiler where the soul of the man is enveloped with flame.
The pictures are similar in their composition and go back to the same original, small stylistic differences notwithstanding.

65. ЯВЛЕНИЕ ИНОКУ УМЕРШЕЙ МАТЕРИ. Притча из «Великого зерцала». 1830—1840-е гг.
Неизвестный художник
Чернила, карандаш, темпера. 34,4×40,8
Бумага с частью филиграни А Н В Ф — А. Н. Воскресенская фабрика 6 разбора
Клепиков I, № 41 а. 1830-е гг.
Под картинкой текст в 15 строк: «Некии

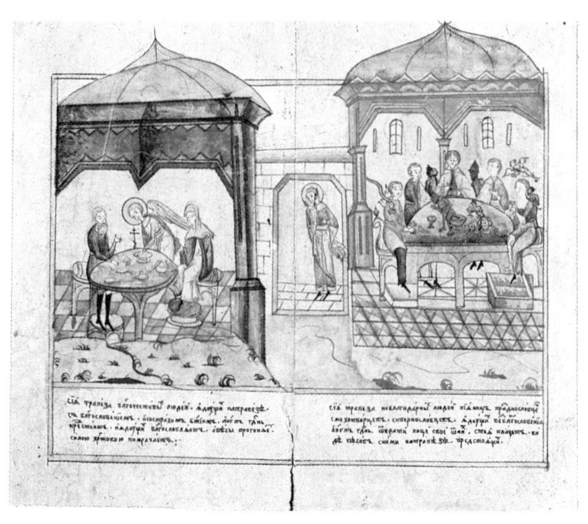
62

инок молися о матери своеи, виде матерь свою нагу се... сежю, за похоть плотскую, и тако изрече невидима бысть».

На обороте листа указана цена: «гривеник»

Инв. № **42949 И** Ш хр 24614

Поступило из коллекции А. П. Бахрушина в 1905 г.

Картинка иллюстрирует притчу из «Великого зерцала» (гл. 211) о наказании грешницы, любившей «многое блудодеяние», одевавшейся в «драгие и многоцветные ризы» и слушавшей «неподобные песни бесовские». Иноку было дано увидеть, как мучается на том свете его мать за эти прегрешения.

Сюжет известен в гравированных лубках: Ровинский I, т. 3, № 700; т. 4, с. 526—527.

Притча встречается в миниатюрах рукописей: ГИМ, Увар. 629, л. 150 об.

Рисованный лист не является прямой копией печатных картинок или миниатюр. Сказывается знание традиции воплощения данного сюжета.

APPEARANCE OF THE DEAD MOTHER TO THE MONK. PARABLE FROM THE "GREAT MIRROR". The 1830–1840s

Anonymous artist

Ink, pencil, tempera. 34.4×40.8

Paper with the water-mark A H B F – A. N. Voskresenskaya factory

Klepikov I, No. 41 a. The 1830s

There is a text in 15 lines under the picture and the price on the reverse.

Acq. No. 42949 И Ш, 24614

From the A. P. Bakhrushin collection (1905)

The picture illustrates the parable from the "Great Mirror" about the punishment to the sinner, who loved all earthly blessings, beautiful attires, songs. The monk was shown how his mother was tortured in the Hell.

The subject is also found in loubok engravings: Rovinsky I, vol. 3, No. 700, vol. 4, pp. 526–527. The story is met in miniatures as well: The Historical Museum, Uvar. 629, l. 150 reverse.

The print is not a direct copy of engravigs or miniatures.

The knowledge of the traditions in treating this subject is evident.

66. ПРИТЧА СВ. АНТИОХА О МЗДОИМАНИИ. Начало XX в.

Художник С. Каликина

Чернила, темпера. 44,3×35,4

—

Текст в 5 строк вверху: «Мздоимец, и резоимец, и сребролюбец, и грабитель... бель. Пролог, октября в 13 день».

На оборотной стороне карандашная запись: «Иллюстрация к тексту работы Софьи Каликиной»

Инв. № 67591 И Ш хр 24421

Привезено историко-бытовой экспедицией ГИМа в 1928 г. из Вологодской области.

Картинка иллюстрирует притчу из Пролога (13 октября) на слова св. Антиоха, который обличает грехи стяжания, ростовщичества, накопительства.

PARABLE OF ST. ANTIOCH ABOUT BRIBING. Early 20th century

Artist S. Kalikina

Ink, tempera. 44.3×35.4

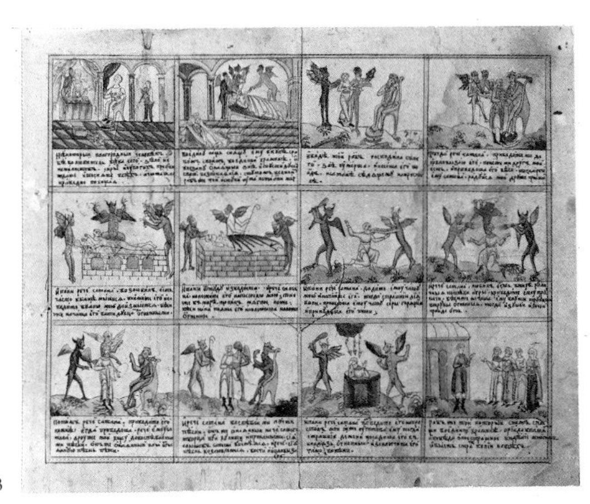

63

The text in 5 lines is in the upper part. An inscription in pencil on the reverse: "Illustrations to the text by Sofia Kalikina".
Acq. No. 67591 И Ш, 24421
Brought by the historical expedition sponsored by the Historical Museum from the Vologda Region.
The picture illustrates a parable from the Prologue (October 13) written by St. Antioch exposing parsimony, money-grubbing and usury.

67. О ДЕВИЦЕ МАРИИ И ЕЕ ПОСМЕРТНОМ ЯВЛЕНИИ ОТЦУ. Начало XX в.
Художник С. Каликина
Чернила, темпера. 34,9×43,7
—
Название: «Пишет учитель кесарийский в книзе своей лествице». Ниже текст в 8 строк: «Яко во области архиепископа Колонскаго бысть сие страшное видение. Некии человек именем Иоан, имея у себя дщерь едину Марию ю же зело любляше... ная за украшение прелестное. В персех гвоздие и нозе прикованы за обымание, змий сосет за погубление детей, смолу пию за блудную похоть, и сие изрекши невидима бе».
На обороте карандашная запись: «Иллюстрация к тексту Софьи Каликиной в 1904—1905 г.»
Инв. № 67591 И Ш хр 24429
Привезено историко-бытовой экспедицией ГИМа в 1928 г. из Вологодской области.
Картинка иллюстрирует притчу из Синодика о наказании в аду девицы Марии, которую отец знал при жизни «постницею и в добродетелех», но та «во блуде непрестанно пребываше и ради срама до смерти младенцев убивала, овогда в воду метала, овогда в ров».
На исповеди она утаила «блудный грех». Дочь в видении предстала перед Иоанном, терзаемая змеями, с огненным сосудом в руках, с раскаленной сковородкой на голове, сидящая на колеснице, запряженной двумя драконами.
Сюжет неизвестен в печатном лубке, не встречается в миниатюрах. История бытования притчи в Синодике изложена в кн.: Петухов Е. В. Очерки по литературной истории синодиков. Спб., 1895. С. 181. № 85.
ABOUT GIRL MARY AND HER POSTHUMOUS APPEARANCE TO HER FATHER.
Early 20th century
Artist S. Kalikina
Ink, tempera. 34.9×43.7
—
There is the title and the text in 8 lines below.
An inscription in pencil on the reverse "Illustrations to the text done by Sofia Kalikina in 1904–1905".
Acq. No 67591 И Ш, 24429
Brought by the historical expedition sponsored by the Historical Museum in the Vologda Region in 1928.
The picture illustrates a parable from the Synodics about Mary and the punishment she got in the Hell for hiding her sin at the confession. The daughter appeared before

64

John tortured by snakes, with the aflamed vessel in her hands, redhot pan on her head and sitting in a chariot pulled by two dragons.

The subject is not found in loubok engravings and miniatures. The story of the parable's appearance in Synodics is told in the book by Ye. V. Petukhov. "Essays on the literary history of synodics." St. Petersburg, 1895, p. 181, No. 85.

68. НАКАЗАНИЕ ЛЮДВИКУ ЛАНГРАФУ ЗА ГРЕХ СТЯЖАНИЯ. Начало XX в.
Художник С. Каликина
Чернила, темпера. 53,2×35,3
—
Название: «Книга мирозрительное зерцало, прилог 2, глава 257. Стяжания неправедна, стяжати неправедно дерзнув некий ланграф, терпяще велие мучение адское». Ниже текст в 20 строк: «Людвик ланграф великий мучитель, людей себе врученных тяшкими податьми мучаше. Многия стяжания не токмо оным... а ланграфа ввергоша в бездну, и возврати диявол клирика».
На обороте карандашная запись: «Иллюстрация к тексту работы Софьи Каликиной».
Инв. № 67591 И Ш хр 24423
Привезено историко-бытовой экспедицией ГИМа в 1928 г. из Вологодской области.
Аналогичная композиция кат. 64

PUNISHMENT OF LANDGRAF LUDWIG FOR THE SIN OF PARSIMONY.
Early 20th century
Artist S. Kalikina
Ink, tempera. 53.2×35.3
—
There is the title and the text in 20 lines. An inscription in pencil on tne reverse: "Illustration to the text done by artist Sofia Kalikina".
Acq. No. 6759 И Ш, 24423
Brought by the historical expedition sponsored by the Historical Museum to the Vologda Region.
Analogous composition cat. 64.

65

69. ИЛЛЮСТРАЦИЯ К ПРИТЧЕ О КРАЖЕ РЕПЫ. 1905
Художник С. Каликина
Чернила, темпера. 35,1×52,9
—

Название: «Зерцало великое, глава 138. Яко напрасно нам виновен бес бывает». Ниже текст в 7 строк: «У некоего пустынника молитвою связан бысть бес, и стрежаше репу его. И некогда прииде человек к старцу репы... ради от своей мысли смущен бых, и абие простив отпусти его старец с репою, яко невиновен нам бес делом, но мыслию точию».

На обороте карандашная запись: «Иллюстрация к тексту работы Софьи Каликиной, 10-ти лет в 1905 г.»
Инв. № 67591 И Ш хр 24420
Привезено историко-бытовой экспедицией ГИМа в 1928 г. из Вологодской области.
Литература: Лубок I, ил. 123; Лубок II, с. 33
Картинка иллюстрирует притчу из «Великого зерцала» (гл. 244), встречающуюся также в сборниках «Мирозрительное зерцало» (гл. 138). В притче рассказывается о том, как к старцу пришел крестьянин с намерением украсть у него репу, а огород старца сторожил бес, «связанный молитвою». Черт предупреждал крестьянина, чтобы тот репу не рвал, но крестьянин не послушался. Старец, позванный бесом, стал уличать крестьянина в краже, но человек постарался свалить всю вину на беса, заявив, что «бес научи мя сие сотворити». Бес тут же доказал свою невиновность, и человеку пришлось признаться в злом умысле.

ILLUSTRATION TO THE PARABLE ABOUT THE STOLEN TURNIP. 1905
Artist S. Kalikina
Ink, tempera. 35.1×52.9
—

There is the title and below – the text in 7 lines.
An inscription in pencil on the reverse: "Illustrations to the text by artist Sofia Kalikina, 10, done in 1905."
Acq. No. 67591 И Ш, 24420
Brought by the historical expedition sponsored by the Historical Museum to the Vologda Region.

67

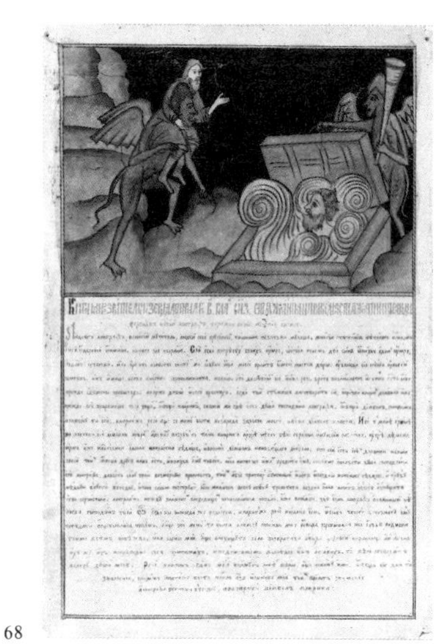

68

Literature: Loubok I, pl. 123; Loubok II, p. 33

The pictures illustrate a story from the "Great Mirror" (ch. 244), which is also found in the collection "The Mirror of the World" (ch. 138).

The parable is telling of how a peasant came to the elder with a desire to steal a turnip, and the kitchengarden was guarded by the devil who told the peasant not to do so, but he disobeyed. The devil called the elder who began to expose the peasant as a liar, but the peasant shifted the blame on the devil saying that the latter taught him to do so. The devil proved himself not guilty and the peasant had to confess his sin.

70. СЕМЬ СМЕРТНЫХ ГРЕХОВ. 1905
Художник С. Каликина
Чернила, темпера. 47×34,3
—
На ленте надпись: «Зде являем семь смертныя грехи». Под рамкой картинки текст в 9 строк: «Апокалипсис, глава 3, стих 14. И ангелу лаодикийския церкве напиши: тако глаголет... щему дам сести со мною на престоле Моем, яко же и Аз победих и седох со Отцем Моим на престоле Его».
На обороте карандашная запись: «Иллюстрация к тексту работы Софьи Каликиной 10-ти лет в 1905 г.»
Инв. № 67591 И Ш хр 24412
Привезено историко-бытовой экспедицией ГИМа в 1928 г. из Вологодской области.
На картинке изображен человек на четвереньках с завязанными глазами, скованный по рукам и ногам цепью. На его спине сидит дьявол с двумя корзинами, в которых находятся семь зверей, олицетворяющих семь главных грехов.
Этот вариант сюжета восходит к гравюре, выполненной в 1665 г. Симоном Ушаковым: Ровинский I, т. 3, № 778; т. 4, с. 567—568. Картинка почти без изменений повторяет печатный лубок.
В миниатюрах есть данный сюжет, он явно повторяет известные лубочные картинки: ИРЛИ, собр. Перетца № 625, л. 6
THE SEVEN MORTAL SINS. 1905
Artist S. Kalikina
Ink, tempera. 47×34.3
—
There is an inscription on the ribbon and the text in 9 lines under the frame.

69

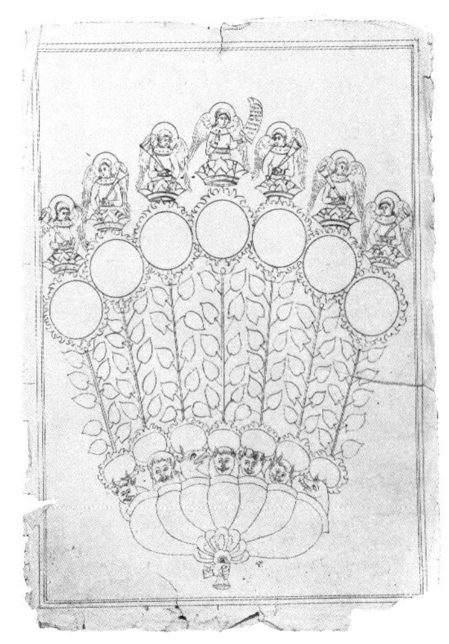

71

An inscription in pencil on the reverse: "Illustration to the text by artist Sofia Kalikina, 10, done in 1905".
Acq. No. 67591 И Ш, xp 24412
Brought by the historical expedition sponsored by the Historical Museum from the Vologda Region.
The picture shows a man on his fours blindfolded, with his legs and hands chained. A devil is sitting on his back and is holding a basket with seven beasts personifying the seven mortal sins.
This variant of the story goes back to the engraving done in 1665, by Simon Ushakov: Rovinsky I, vol. 3, No. 778; vol. 4, pp. 567—568. The pictures repeats the engraving without visible changes.
The same subject is found in the miniatures as well, and it apparently repeats the famous louboks: The Institute of Russian Literature, col. Perets, No. 625, 1.6.

71. СЕМЬ СМЕРТНЫХ ГРЕХОВ. Конец XIX в.
Художник А. С. Каликин
Чернила. 71,5×53,5
—
На обороте запись красным карандашом: «разн. картинки письма отца А. С. Каликина и печатные № 6 Ф. К.»
Инв. № 67591 И Ш хр 24409
Привезено историко-бытовой экспедицией ГИМа в 1928 г. из Вологодской области.
Аналогичная композиция кат. 48, 139
Первый вариант сюжета (см. объяснения к кат. 48). Лист не имеет раскраски, выполнен только контурный рисунок. Тексты в кругах не написаны.
THE SEVEN MORTAL SINS.
Late 19th century
Artist A. S. Kalikin
Ink. 71.5×53.3
—
There is an inscription in red pencil on the reverse.
Acq. No. 67591 И Ш, 24409
Brought by the historical expedition sponsored by the Historical
Museum to the Vologda Region in 1928.
Analogous composition cat. 48, 139.
This is the first version of the subject (see com. to cat. 48). The drawing was not coloured and has only contours. The texts in the circles are not written.

72. ДУША ЧИСТАЯ. Вторая половина XIX в.
Неизвестный художник
Чернила, темпера. 43,2×29
—
Справа текст в 14 строк: «О чистота, яко ца... лами его».
Инв. № 23812 И Ш 61085
Поступило из коллекции П. И. Щукина в 1905 г.
Композиция имеет в деталях отличия

72

от традиционного решения, в частности грешная душа представлена падающей в разверстую адскую пасть, а не сидящей в пещере.

PURE SOUL. Second half 19th century
Anonymous artist
Ink, tempera. 43.2×29
—
The text in 14 lines is to the right.
Acq. No. 23812 И Ш 61085
From the P. I. Shchukin collection (1905)
The composition has certain differences as compared to the traditional enterpretation, in particular, the sinful soul is shown falling into the infernal maw and not sitting in a dungeon.

73. «ТЯЖКО ЕСТЬ ИГО НА СЫНЕХ АДАМЛИХ». Середина XIX в.
Неизвестный художник
Чернила, темпера. 40,8×33,7
—
Название: «Тяжко есть иго на сынех адамлих». На обороте запись с указанием цены: «осмигривенн».
Инв. № 42949 И Ш 61101
Поступило из коллекции А. П. Бахрушина в 1905 г.
Притча разрабатывает ту же тему, что и «Семь смертных грехов» — тему борьбы пороков и добродетелей, борьбы добра и зла. На картинке изображен человек, согнувшийся под тяжестью сферы, кото-

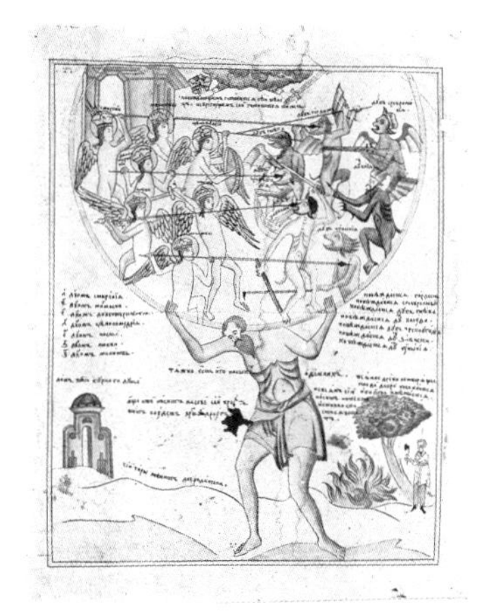

рую он несет на своих плечах. Внутри сферы показано сражение ангелов и чертей, пороков и добродетелей.
Сюжет известен в гравированном лубке: Ровинский I, т. 3, № 779, 779 а; т. 4, с. 568.

TYAZHKO EST IGO NA SYNEKH ADAMLIKH. Mid-19th century
Anonymous artist
Ink, tempera. 40.8×33.7
—
The title and an inscription about the price on the reverse.
Acq. No. 42949 И Ш 61101
From the A. P. Bakhrushin collection (1905)
The parable has the same subject as the Seven Mortal Sins, fight between vice and virtue, good and evil. The pictre shows a man stooped under a heavy sphere which he is carrying on his shoulders. Inside the battle between angels and devils is going on.
The subject is also found in loubok engravings: Rovinsky I, vol. 3, No.779, 779 a, vol. 4, p. 568.

74. АДСКОЕ ЧУДОВИЩЕ. Середина XIX в.
Неизвестный художник
Чернила, темпера. 50,5×58,8
—
Инв. № 52789 И Ш хр 9991
Приобретено у А. А. Бахрушина в 1921 г.
На спине змееподобного чудовища сидят черти с душами грешников в руках. Язык, зубы, пасть, утроба змия воплощают наказания за человеческие грехи — «преслуша-

74

ние, самоугодие, прекословие, возношение» и т. д.

SERPENT FROM THE HELL. Mid-19th century
Anonymous artist
Ink, tempera. 50.5×58.8
—
Acq. No. 52789 I Ш 9991
Purchased from A. A. Bakhrushin in 1921
The devils holding the sinnerns' souls in their hands are sitting on the serpent's back. The tongue, teeth, jaws and the stomach of serpent of the serpent personify punishment for the sins.

ПРОИЗВЕДЕНИЯ ГУСЛИЦКОГО ЦЕНТРА

75. ИЛЛЮСТРАЦИИ К ПОУЧЕНИЮ ИОАННА ЗЛАТОУСТА О КРЕСТНОМ ЗНАМЕНИИ.
Конец 1840 — начало 1850-х гг.
Неизвестный художник
Чернила, темпера, золото. 49,9×35,7
Бумага с филигранью J Whatman 1837
Клепиков I, № 1206
Название в центре: «Месяца апреля в 18 день. Слово иже во святых отца нашего Иоанна Златоустаго патриарха царяграда о страсе Божии, и о еже како во святей Божией церкви стояти со страхом и с благочинием, лице свое крестити крестообразно». Ниже текст в 17 строк: «Мнози убо невегласи махающе по лицу своему рукою своею творяще... аминь». Ниже помещен другой текст под заглавием: «И паки выписано ис книги катехизиса печатной при патриархе Филарете в лето 1627 в Москве, лист 102 строка 14». Текст в 14 строк: «Уже бо и многих ныне видим иже... пришествие».
Инв. № 55289 И Ш 61071
Поступило от А. А. Бахрушина в 1924 г.
Аналогичная композиция кат. 76,77
Картинки (кат. 75—77) иллюстрируют статью Пролога от 18 апреля со словами Иоанна Златоуста, как в церкви стоять «со страхом и благочинием и лицо свое крестить крестообразно». В статье осуждается небрежное наложение креста и воздается похвала тем, кто крестится истово. Художники показывают, как радуются бесы небрежному крестному знамению.

PRINTS OF FHE GUSLI CENTRE

ILLUSTRATIONS TO SERMONS BY ST. JOHN CHRYSOSTOM ABOUT THE SIGN OF THE CROSS. Late 1840s – ealy 1850s
Anonymous artist
Ink, tempera, gold. 49.9×35.7
Paper with the J Whatman water-mark. 1837
Klepikov I, No. 1206
The title is in the centre and the text in 17 lines – below it.
Acq. No. 55289 И Ш 61071
From the A. A. Bakhrushin collection (1924)
Analogous composition cat. 76. 77
The pictures (cat. 75—77) illustrate an article from the Prologue (April 18) with the words

75

of St John telling how to behave oneself in a church. The article censures careless crossing and praises those who cross themselves with devotion. To illustrate his idea the author shows how glad are the devils after any casual crossing.

76. ИЛЛЮСТРАЦИИ К ПОУЧЕНИЮ ИОАННА ЗЛАТОУСТА О КРЕСТНОМ ЗНАМЕНИИ. Середина XIX в.
Неизвестный художник
Чернила, темпера, золото. 58×48,7
—
Название в центре: «Пролог, апреля в 18 день: Слово Иоанна Златоуста о страсе Божии, и о еже како во святей Божии церкви стояти со страхом и благочинием и лице свое крестити крестообразно».
Текст в 11 строк: «Мнози убо невегласи махающе по лицу своему рукою творяше кре... веки веком, аминь». Ниже помещен другой текст под заглавием: «Выписано ис книги катехизиса печатного при Филарете патриархе, лист 112». Текст в 13 строк: «Иже бо и многих ныне видим, иже... пришествие».
Инв. № 52789 И Ш 61073
Поступило от А. А. Бахрушина в 1921 г.
Аналогичная композиция кат. 75, 77
ILLUSTRATIONS TO SERMONS BY ST. JOHN CHRYSOSTOM ABOUT THE SIGN

OF THE CROSS. Mid-19th century
Anonymous artist
Ink, tempera, gold. 58×48.7
—
The title is in the centre with two texts in 11 and 13 lines below.
Acq. No. 52789 И Ш 61073
From the A. A. Bakhrushin collection (1921)
Analogous composition cat. 75, 77

77. ИЛЛЮСТРАЦИЯ К ПОУЧЕНИЮ ИОАННА ЗЛАТОУСТА О КРЕСТНОМ ЗНАМЕНИИ. Вторая половина XIX в.
Неизвестный художник
Чернила, темпера. 41,4×32,3
—
Название: «Месяца апреля 18 день. Слово иже во святых отца нашего Иоанна Златоустаго патриарха царя града о страсе Божии, и о еже како во святей Божии церкви стояти со страхом и благочинием и лице свое крестити крестообразно. Печатано при потриархи Иосифе в Москве». Ниже текст в 12 строк: «Мнози убо невегласи махающе по лицу своему рукою творяше крестятся... и присно и во веки веком, аминь». Ниже помещен другой текст под заглавием: «Выписано ис книги катехизиса печатной при патриархи Филорете в лето 1627 в Москве, лист 102, строка 14». Текст в 5 строк: «Уже бо и многих ныне видим, иже не приемлют на

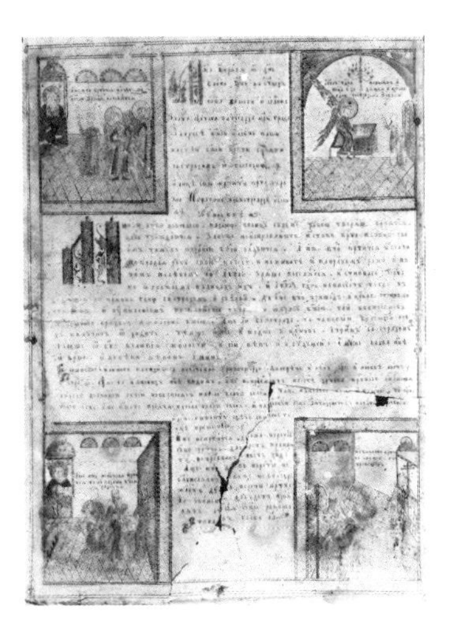

78

себе Христова крестнаго знамения... тме пришествие». Внизу 9 строк относительно двуперстного знамения: «Иже не крестится двемя персты... Стоглав, глава 31».
Инв. № 16116 И Ш хр 12703
Поступило из коллекции П. И. Щукина в 1905 г.
Аналогичная композиция кат. 75, 76

ILLUSTRATIONS TO SERMONS BY ST. JOHN CHRYSOSTOM ABOUT THE SIGN OF THE CROSS. Second half 19th century
Anonymous artist
Ink, tempera. 41.4×32.3
—
There is the title on the sheet and below — the text in 12 lines, under it, another text.
Acq. No. 16116 И Ш хр 12703
From the P. I. Shchukin collection (1905)
Analogous composition cat. 75, 76

78. ИЛЛЮСТРАЦИЯ К СКАЗАНИЮ О НАКАЗАНИИ КАИНУ ЗА УБИЙСТВО БРАТА. Середина XIX в.
Неизвестный художник.
Чернила, темпера, золото. 56,9×40
—
Внизу текст в 7 строк: «Рече Господь к Каину: Каине, где брат твой Аввель? Господи, не страждь есмь брату своему. Еще рече Господь... и велик и премудр Господь». Под рамкой листа текст в 2 строки: «Кто тя, брате, сему злу научи, еже клеветати на брата своего? О сем бо, брате, и во Апостоле пишет: не любяи брата, не любит Бога, осуждаи брата своего, закон бо судиши, и сам зле постраждеши, покрый братня согрешения, а Бог твоя покрыет».
Инв. № 52789 И Ш 61108
Поступило от А. А. Бахрушина в 1921 г.
На картинке представлен библейский рассказ о братоубийстве в апокрифической трактовке. Главное внимание художник уделяет показу страданий, испытываемых Каином после преступления, и посланных ему наказаний.
Сюжет не имеет аналогий

ILLUSTRATION TO THE LEGEND TELLING ABOUT PUNISHMENT OF CAIN FOR THE MURDER OF HIS BROTHER. Mid-19th century
Anonymous artist
Ink, tempera, gold. 56.9×40
—
Below is the text in 7 lines, under the frame, another text in 2 lines.
Acq. No. 52789 И Ш 61108
From the A. A. Bakhrushin collection (1921)
The picture presents biblical story about fratricide in apocrythal interpretation. The main emphasis is on the sufferings of Cain after the crime and on the punishment he gets.
The subject has no analogies.

79

79. ТОЛКОВАНИЕ ПРЕМУДРОГО ЛЬВА, ЦАРЯ ГРЕЧЕСКОГО. Середина XIX в.
Неизвестный художник
Чернила, темпера. 40,1×32

—

Название: «Толкование премудраго Лва царя греческаго».
Инв. № 42949 И Ш 28917
Поступило из коллекции А. П. Бахрушина в 1905 г.
В композицию с печатью царя Соломона (см. кат. 46) добавлено изображение царя греческого Льва, занятого толкованием Соломоновой печати. Вероятно, имеется в виду Лев VI Мудрый (886—912), получивший свое прозвище за любовь к наукам и познаниям в астрологии.

THE WORD OF THE GREEK TSAR LEO THE WISE. Mid-19th century
Anonymous artist
Ink, tempera. 40.1×32

—

Acq. No. 42949 И Ш 28917
From the A. P. Bakhrushin collection (1905).
The figure of the Greek Tsar Leo is introduced into the composition with the seal of Tsar Solomon (see cat. 46). Leo is reading the seal. This is apparently Leo VI the Wise being named so for his love for sciences and knowledge in astrology.

80. АРХАНГЕЛ МИХАИЛ, ПОВЕРГАЮЩИЙ ДРАКОНА. 1854
Неизвестный художник

Чернила, карандаш, темпера, золото. 70,5×51

—

Слева внизу едва различимая карандашная запись. Прочитывается дата: «... в лето 1854 года».
Инв. № 99497 И Ш хр 10057
Картинка представляет рамку для текста с большим инициалом П и изображением в верхней части листа архангела Михаила, повергающего сатану. Это иллюстрация к строкам 12-й главы Апокалипсиса: «И произошла на небе война: Михаил и ангелы его воевали против дракона... и низвержен был великий дракон, древний змий, называемый дьяволом и сатаною, обольщающий всю вселенную, низвержен на землю...»
Композиция не имеет аналогий

ARCHANGEL MICHAEL DEFEATING THE DRAGON. 1854
Anonymous artist
Ink, pencil, tempera, gold. 70.5×51

—

An inscription in pencil is slightly visible below to the left. The date can be read "...In the year of 1854".
Acq. No. 99497 И Ш, 10057
The picture serves a frame for the text with the large initial II and Archangel Michael in the upper part of the sheet defeating Satan. This is the illustration to the lines from Chapter 12 of the Apocalypse:
And there was war in heaven. Michael and

82

his angels fought against the dragon, and the dragon and his angels fought back. But he was not strong enough, and they lost their place in heaven.
The great dragon was hurled down — that ancient serpent called the devil, or Satan, who leads the world astray.
Composition has no analogies.

81. АПТЕКА ДУХОВНАЯ. Середина XIX в.
Неизвестный художник
Чернила, карандаш, темпера, золото. 58,3×49,2

—

Название: «Аптека духовная». Ниже текст в 6 строк: «Прииде мних во врачебницу в виде врача зело премудра, к нему же мнози прихождаху различныя неду... на блюдо разсуждения. Причастися лжицею покаяния, и наречешеся чадо света, и будеши причастнии вечны жизни».
Инв. № 52789 И Ш хр 12743
Поступило от А. А. Бахрушина в 1921 г.
Аналогичная композиция кат. 27
Изображены монах и врач, беседующие внутри «врачебницы», где стоит стол с набором предметов, необходимых для приготовления лекарства, и печь с разведенным в ней огнем.
PHARMACY SPIRITUAL. Mid-19th century
Anonymous artist
Ink, pencil, tempera, gold. 58.3×49.2

—

The title is "Pharmacy Spiritual", below is the text in 6 lines.
Acq. No. 52789 И Ш, 12743
From the A. A Bakhrushin collection (1921)
Analogous composition cat. 27
A monk and a doctor are talking inside a pharmacy with a table in it suggesting a set of instruments necessary to prepare medicine, and a hot stove.

82. АПТЕКА ДУХОВНАЯ. Вторая половина XIX в.
Художник И. Собольщиков
Чернила, карандаш, темпера. 44,3×35,4

—

Название: «Аптека духовная». Ниже текст в 10 строк: «Старец некии прииде во врачебницу и вопроси врача, есть ли такое былие, еже бы... служит в мире! И будеши совершенно здрав. Писал Иван Собольщиков».
Инв. № 46860
Приобретено у И. М. Фаддеева в 1910 г.
Аналогичная композиция кат. 140
PHARMACY SPIRITUAL. Second half 19th century
Artist I. Sobolshchikov
Ink, pencil, tempera. 44.3×35.4

—

There is the title and the text in 10 lines below it.
Acq. No. 46860
Purchased from I. M. Faddeyev in 1910
Analogous composition cat. 140

83

83. ИЛЛЮСТРАЦИЯ К СТИХАМ С. ЯВОРСКОГО «ВЗИРАЙ С ПРИЛЕЖАНИЕМ, ТЛЕННЫЙ ЧЕЛОВЕЧЕ...» Середина XIX в.
Неизвестный художник
Чернила, темпера, белила, золото. 57,5×46
—
Под картинкой стихи в 8 строк: «Взирай с прилежанием, тленный человече, како век твой преходит и смерть недалече. Готовися на всяк... многия ревности сердечно умилися».
Инв. № 52789 И Ш 61052
Приобретено у А. А. Бахрушина в 1921 г.
Литература: Лубок 1, ил. 119, 120
Стефан Яворский (1658—1722) — видный церковный деятель, полемист, автор проповедей и панегириков. Картинка является иллюстрацией к стихотворению, главная мысль которого в необходимости помнить о кратковременности жизни и стараться жить, избегая суеты. Здесь изображен человек у стола, на котором лежат песочные часы (быстротечность времени), книга и чернильница с гусиным пером (мудрость жизни). На столе — мешок с деньгами, корона и цветок. Они, вероятно, символизируют ту суетность и мирские радости, которых человеку следует избегать.
ILLUSTRATION TO VERSES BY S. YAVORSKY "LOOK, THOU, PERISHABLE HUMAN, LOOK WITH CARE."
Anonymous artist
Ink, tempera, white, gold. 57.5×46
—
Verses in 8 lines are under the picture.
Acq. No. 52789 И Ш 61052
Purchased from A. A. Bakhrushin in 1921
Literature: Loubok I, pl. 119, 120
Stephen Yavorsky (1658–1722) was a noted church figure, polemist, the author of sermons and hymns. The picture illustrates a verse reminding of the briefness of life and calling for life deprived of fuss. A man at the table with sand-glass, symbolizing the briefness of life, a book and an ink-pot with a quill-pen, the symbol of the wisdom of life, is shown in the picture. Also on the table are a sack full of money, a crown and a flower. They, apparently, symbolize those earthly blessings the man should avoid.

84. ПЕСНОПЕНИЕ «ВО СВЯТУЮ И ВЕЛИКУЮ СУББОТУ...». Вторая половина XIX в.
Неизвестный художник
Чернила, темпера, золото. 79,3×60
—
Название: «Во святую и великую суботу. Стихира надгробная».
Текст на крюковых нотах в 21 строку: «Приидите, ублажим Иосифа при... нию».
Нотация знаменная, с пометами.
Инв. № 52789 И Ш 61100
Приобретено у А. А. Бахрушина в 1921 г.
Стихира (песнопение, состоящее из стихов, написанных одним размером) службы страстной недели. В верхней части листа расположены отдельные эпизоды, иллюстрирующие текст стихиры: приход

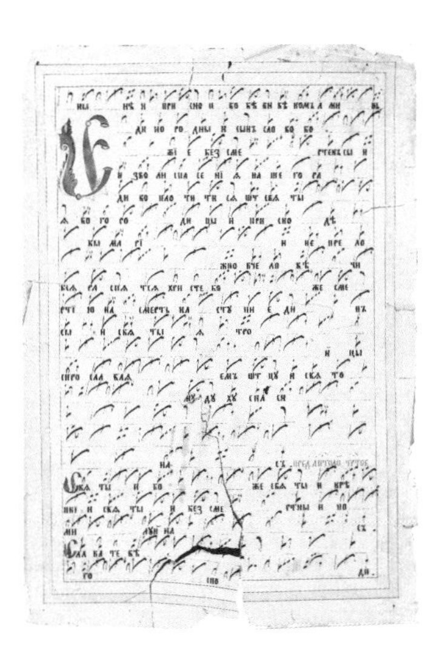

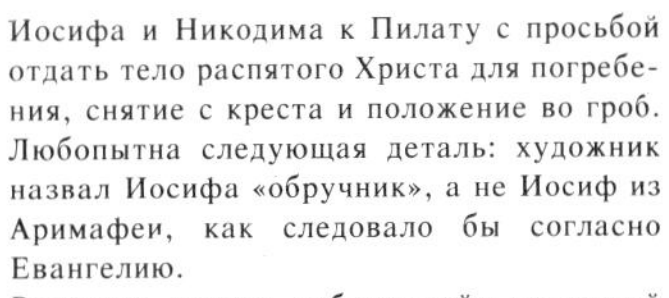

Иосифа и Никодима к Пилату с просьбой отдать тело распятого Христа для погребения, снятие с креста и положение во гроб. Любопытна следующая деталь: художник назвал Иосифа «обручник», а не Иосиф из Аримафеи, как следовало бы согласно Евангелию.

Вероятно, мастер, работавший с настенной картинкой, был не очень сведущим человеком.

HYMN "FOR THE HOLY AND GREAT SATURDAY".
Second half 19th century
Anonymous artist
Ink, tempera, gold. 79.3×60

—

The title is followed by the text in 21 lines on the hooktype music, with marks.
Acq. No. 52789 И Ш 61111
Purchased from A. A. Bakhrushin in 1921
This is a collection of church songs written in the same metre for the service during the Holy Week. Separate episodes illustrating the text are in the upper part of the sheet: Joseph and Nicodemus coming to Pilate to ask for Jesus's body, Resurrection and Entombment. It is noteworthy that the artist has called Joseph «obruchnik», and not Joseph from Arimathea, as is written in the Gospels. He was not, most likely, a very knowledgeable person.

86

85. ПЕСНОПЕНИЕ «ЕДИНОРОДНЫЙ СЫН СЛОВО БОЖИЕ». Конец XIX в.
Неизвестный художник
Чернила, темпера. 71×53

—

Текст на крюковых нотах в 22 строки: «Ныне и присно и во веки веком, аминь... Господи». Нотация демественная, с пометами и признаками.
Инв. № 99497 И Ш хр 24440
«Единородный Сын слово Божие» — тропарь на литургию Иоанна Златоуста. Тропарь — церковное песнопение, молитвенная песнь.

HYMN "THE ONLY BEGOTTEN SON, WHO CAME FROM THE GOD,THE WORD OF GOD". Late 19th century
Anonymous artist
Ink, tempera. 71×53

—

The text is on the hook-type music, with marks.
Acq. No 99497 И Ш, 24440
«God's Son the word of God» is a part of the liturgy composed by St John Chrysostom (tropar, a church song, a prayer).

86. КАЛЕНДАРНАЯ СТЕНКА. Середина XIX в.
Неизвестный художник
Чернила, темпера, белила. 52×43,5

—

Инв. № 66804 И Ш хр 12839
На стенке размещены таблицы исчисления дней, «часов», а также изображения звезд-

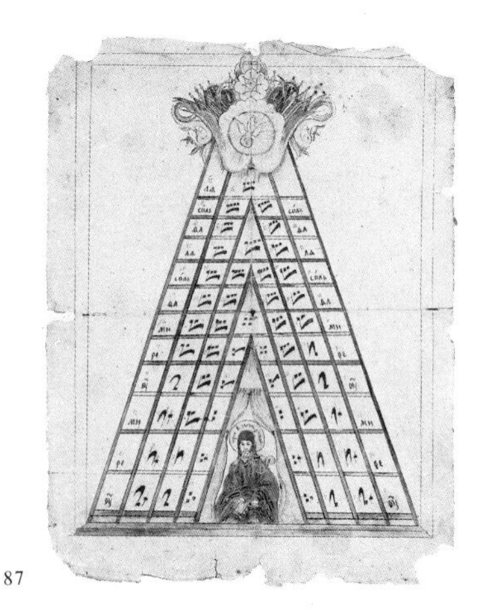

87

ного неба, птиц Сирин и Алконост и др. В центре помещен круг с буквенным обозначением чисел и отверстием посередине, куда крепился вращающийся диск.

WALL CALENDAR. Mid-19th century
Anonymous artist
Ink, tempera, white. 52×43.5

—

Acq. No. 66804 И Ш, 12839
There are tables for determining the days, hours, as well as a scheme of the starry sky, pictures of birds Sirin and Alconost, etc. on the wall. In the centre is a circle with the letter symbols of the dates and a hole for fixation of the moving disc.

87. ГОРОВОСХОДНЫЙ ХОЛМ. Конец XIX в.
Неизвестный художник
Чернила, темпера. 48,5×38

—

Инв. № 42949 И Ш 61106
Поступило из коллекции А. П. Бахрушина в 1905 г.
Наглядное пособие, способствующее лучшему восприятию последовательности и высоты «солей» (нот) при изучении знаменного пения. В основании горки помещено изображение Иоанна Дамаскина — знаменитого богослова (ок. 673 — ок. 777), автора многих церковных песнопений.

A GUIDE FOR MOUNTING HILLS. Late 19th century
Anonymous artist
Ink, tempera. 48.5×38

—

Acq. No. 42949 И Ш 61106
From the A. P. Bakhrushin collection (1905)
This is a guide for better mastering music in studying church singing. St. John of Damascus, a noted theologian (c. 673-c. 777) and the author of many church hymns, is standing at the foot of a hill.

ПРОИЗВЕДЕНИЯ МОСКОВСКОГО ЦЕНТРА

88. ИЗОБРАЖЕНИЕ РАСПРАВЫ ВОЕВОДЫ МЕЩЕРИНОВА С УЧАСТНИКАМИ СОЛОВЕЦКОГО ВОССТАНИЯ 1668—1676 гг. Начало XIX в.
Художник М. В. Григорьев (?)
Чернила, темпера. 69×102

—

Названия нет. Пояснительные надписи (в порядке последовательности эпизодов): «Осади воевода обитель и постави наряд пушечен мног, и сташа бити по обители боем огненным денно же и нощно, не усыпаючи»; «воевода царской Иван Мещеринов»; «вои царские»; «изшед навст... с кресты, иконы и кандилы и убия их»; «мученники за древлеблагочестие»; «игумен и келарь, влекомые воями к Мещеринову на мучения»; «иноци иже во мразы лютейшие с монастыря изгнаша в губу морскую и их в льдах заморози, и лежах тела их 1 лета нетленны, прильпе бо плоть к кости и недвигнуся суставы»; «царю же Алексию Михайловичю, болящe сущу, и мня, си аще за грех пред преподобными наказание приях, и написа грамоту вручи царице Наталии Кириловне, да не мотчав ко Мещеринову отправит, да престанет обитель воевати»; «гонец царской»; «гонец Мещеринова»; «град Вологда»; «гонец царской встрети на пути во граде Вологде гонца от воеводы Мещеринова с грамотою о раззорении монастыря».
Инв. № 45458
Приобретено «на торгу» в 1909 г.
Литература: Иткина I, с. 38; Иткина II, с. 255
На картинках (кат. 88,94) изображены события подавления выступления монахов Соловецкого монастыря против реформы патриарха Никона. Оба листа иллюстрируют книгу С. Денисова «История об отцех и страдальцех соловецких», написанную в 1730-х гг. В настоящее время выявлено шесть вариантов настенных листов на данный сюжет, из которых три обнаруживают непосредственную зависимость друг от друга и восходят к общему оригиналу и три возникли независимо от

88

этой группы, хотя их создатели творили, придерживаясь общей традиции воплощения данного сюжета.

Картинка (кат. 88) обнаруживает текстологическую и художественную зависимость от рукописной повести «Описание лицевое великой осады и разорения монастыря соловецкого», написанной в конце XVIII в. и вышедшей из московской мастерской, где в конце XVIII — начале XIX в. работал мастер М. В. Григорьев. Предположительная атрибуция картинки художнику Григорьеву сделана на основании стилистической близости ее с подписными произведениями мастера. (Подробно об этом см.: Иткина I, Иткина II.)

PRINTS OF THE MOSCOW CENTRE

THE PICTURE OF MASSACRE BY VOIVODE MESHCHERINOV OVER THE PARTICIPANTS IN THE SOLOVKY UPRISING, in 1668–1676. Early 19th century

Artist M. V. Grigoryev (?)

Ink, tempera. 69×102

—

No title. Explanatory notes comment on the episodes in succession.

Acq. No. 45458

Purchased at the auction in 1901

Literature: Itkina I, p. 38; Itkina II, p. 255

The pictures (cat. 88, 94) show the massacre of the monk uprising at the Solovki Monastery who raised against Nikon's reform. Both sheets illustrate the book "The History of the Solovki monks and martyrs" written by S. Denisov in the 1730s. Six versions of the subject have been found up till now, three of them reveal mutual dependence in treating the theme and go back to the same original, and the rest three are rather independent, though their authors evidently followed the general tradition.

The pictures (cat. 88) expose textual and artistic dependence on the manuscript "Description of the Great Siege and Destruction of the Solovki Monastery", written in the late 18th century at the Moscow workshops where in the late 18th–early 19th century master M. V. Grigoryev worked. The attribution of the picture under consideration to this author can be done on the basis of its stylistic affinity with the signed works by the author. For detailed information on the subject see: Itkina I, Itkina II.

89. ИЛЛЮСТРАЦИЯ К ПОУЧЕНИЮ О ПРАВИЛЬНОМ КРЕСТНОМ ЗНАМЕНИИ. Вторая половина XIX в.

Неизвестный художник

Чернила, темпера, белила, золото. 59,5×41,6

—

Внизу текст в 5 строк: «Мнози убо невегласи махающе по лицу своему рукою (семо и овамо) творяще крестятся, но всуе труждаются (занеже не исправляют истово креста на лице своем), ибо таковому маханию беси... В 1 неделю поста писано, всяк творяй дело Божие с небрежением проклято есть».

Инв. № 16704 И Ш 61072

Приобретено «на торгу» в 1887 г.

Картинка трактует ту же тему, что листы кат. 75—77, но в построении композиции художник самостоятелен.

ILLUSTRATION TO THE SERMON ABOUT THE RIGHT SIGN OF THE CROSS

89

Second half 19th century
Anonymous artist
Ink, tempera, white, gold. 59.5×41.6
—
Below is the text in 5 lines.
Acq. No. 16704 И Ш 61072
Purchased at the auction in 1887
The picture is dealing with the same theme as sheets cat. 75–77, but its composition is independent.

90. ИЛЛЮСТРАЦИЯ К БИБЛЕЙСКОЙ КНИГЕ «ЭСФИРЬ». Вторая половина XIX в.
Неизвестный художник
Чернила, темпера, золото. 68×51
—
Внизу текст в 15 строк: «В лето 2 царства Артаксеркса Великаго 1 сон виде Мардохей, сын ассиров от племене Вениамине, живый в Сусех, служа при царе, беже от... приступи, и тако пришед до врат царевых. И став в них... во вретищи и пепле... довлеет внити во двор. И веда же сия Есфирь и посла Ахрафея с ризами добрыми. Рече же Мардохей: не ризы ми потребны».
Инв. № 42949 И Ш 61051
Поступило из коллекции А. П. Бахрушина в 1905 г.
Первая картинка из двухлистовой серии. Изображены эпизоды представления Эсфири царю Артаксерксу, пир в честь брака с Эсфирью, раскрытие заговора двух евнухов, плач Мардохея.

ILLUSTRATION TO THE BIBLE, BOOK "ESTHER". Second half 19th century
Anonymous artist
Ink, tempera, gold. 68×51
—
Below is the text in 15 lines.
Acq. No. 42949 И Ш 61051
From the A. P. Bakhrushin collection (1905)
The first picture from the two-sheet series
Episodes:
Esther being taken to King Xerxes, Esther's banquet, Mordecai uncovers a conspiracy, Mordecai wailing.

91. ИЛЛЮСТРАЦИЯ К БИБЛЕЙСКОЙ КНИГЕ «ЭСФИРЬ». Вторая половина XIX в.
Неизвестный художник
Чернила, темпера, золото. 68,5×51
—
Внизу текст в 16 строк: «Но глаголи Есфири, яко погибаем: да идет к царю и глаголет о сем. Рече же Есфирь, кроме звания царева, невозможно к царю нам явитися, за сие бо казнь приемлю. Егда же Мардохей сия слыша от Ахрафея, рече ему рцы Ес... древе да обесится сам Аман, жена же и дети их обещени при вратах града, имение его и дом вдаде Есфири, печать же и первенство Мардохею, писание же аманово возврати, и тако бысть мир на земли».
Инв. № 42949 И Ш 61063

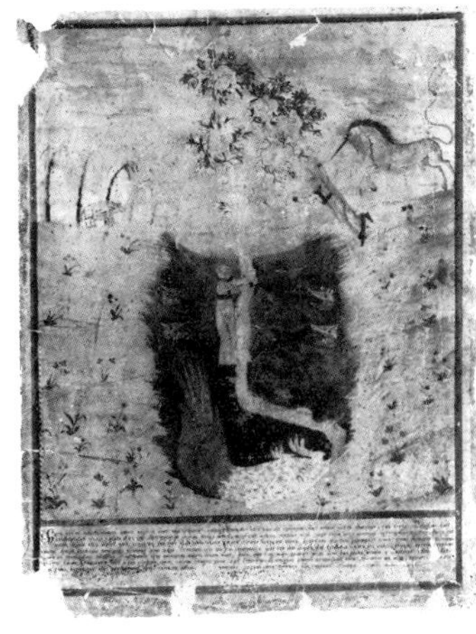

92

Поступило из коллекции А. П. Бахрушина в 1905 г.

Вторая картинка из двухлистовой серии. Изображены эпизоды падения и казни Амана и возвышения Мардохея.

В русском искусстве история Эсфири воплощалась неоднократно в различного рода памятниках. Три эпизода легенды изображены на деревянной расписной доске 1670-х гг. (ГИМ, И УШ 5626). Известны росписи северной паперти церкви Иоанна Предтечи в Толчкове, выполненные ярославскими художниками в 1695 г. Рисованные листы не имеют сходства с данными произведениями.

ILLUSTRATION TO THE BIBLE, BOOK "ESTHER". Second half 19th century

Anonymous artist

Ink, tempera, gold. 68.5×51

—

Below is the text in 16 lines.

Acq. No. 42949 И Ш 61063

From the collection of A. P. Bakhrushin. (1905)

This is the second picture from the two-sheet series showing Haman hanged and the greatness of Mordecai.

The story of Esther was repeatedly told in Russian art in various genres. Three episodes from the legend are depicted on the painted wooden desk of the 1670s (the Historical Museum, `II YIII 5626). There are also paintings in the northern church-porch at the Church of St John the Forerunner in Tolchkovo, done by Yaroslavl artists in 1695. But the prints do not resemble the abovementioned works.

92. ПРИТЧА ВАРЛААМА «О ВРЕМЕННОМ СЕМ ВЕКЕ» (о единороге). Середина XIX в.

Неизвестный художник

Чернила, темпера. 55,5×44,3

—

Внизу текст в 7 строк: «Сего света маловременнаго житие подобно есть человеку, бегающу от лица бегающаго беснующаго единорога, иже крепко отбег, да не будет ему в снедь, текущу же ему... слава и богатство иже маловременно есть, тьма же вечно. Выписано из житийника преподобных отец Варлаама и Иосафа. Месяца ноября 19 дня».

Инв. № 19680 И Ш 61097

Поступило от Жадаева в 1889 г.

Притча Варлаама была заимствована из весьма популярной в древнерусской литературе «Повести о Варлааме и Иоасафе». Она существовала часто независимо от повести, например, излагалась в Прологе (19 ноября), входила в состав некоторых синодиков.

В притче жизнь сравнивается с человеком, убегающим от рассвирепевшего единорога (смерть). Спасаясь, человек падает в ров (мир, наполненный смертоносными сетями), где сидит страшный змий с разверстой пастью и из стен торчат аспидовы головы. В падении человек хватается за дерево

93

(путь жизни человеческой), корень которого подгрызают две мыши, черная и белая (день и ночь). Замечая на дереве мед (сладость мира), человек забывает об опасности и тянется за ним.

Притча была проиллюстрирована в миниатюрах: ГБЛ, Унд. 154, л. 76 об., 77. Сюжет упоминается в литературе о печатном лубке: Ровинский I, т. 4, с. 738—739.

PARABLE OF VARLAAM "THE STORY OF TEMPORAL YEARS". (about unicorn). Mid-19th century
Anonymous artist
Ink, tempera. 55.5×44.3
—
Below is the text in 7 lines.
Acq. No. 19680 И Ш 61097
From the collection of Zhadayev (1889).
The parable of Varlaam was borrowed from very popular old Russian "Story about Varlaam and Joasaph". The parable soon began to appear separately from the Story. Thus, it was told in the Prologue (November 19), entered some of Synodics. The parable compared life with Man escaping a furious unicorn (death). On his way the Man falls into the ditch (the world full of deadly nets) where an awful serpent has opened his maw and the walls are ful of aspid heads. The Man takes a grip of the tree (human life) whose roots are being nibbled by two mice, black and white (day and night). Seeing honey on the tree (earthly blessings) the Man forgets about the danger and stretches out his hand to take it. The parable was illustrated in miniatures: The Lenin Library, Und. 154, 1.76, reverse, 77. The subject is also mentioned in books concerning loubok engravings: Rovinsky, vol. 4, pp. 738–739.

ЛИСТ, ВЫПОЛНЕННЫЙ В ГОРОДЦЕ

93. ИЗОБРАЖЕНИЕ КУЛИКОВСКОЙ БИТВЫ. Вторая половина 1890-х гг.

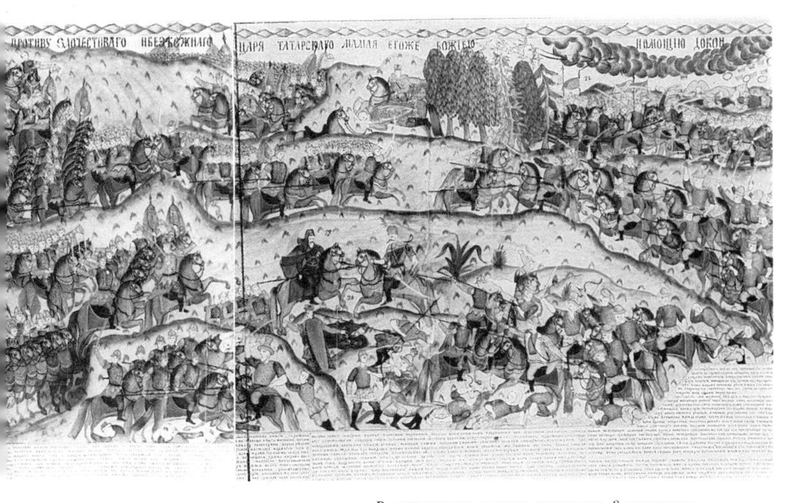

Художник И. Г. Блинов
Чернила, темпера, золото. 75,5×276
—
Название: «Ополчение и поход великаго князя Димитрия Иоанновича самодержца всероссиискаго противу злочестиваго и безбожнаго царя татарскаго Мамая, его же Божиею помощию до конца победи».
Инв. № 42904 И Ш 61105
Поступило из коллекции А. П. Бахрушина в 1905 г.
Литература: Куликовская битва, ил. на вклейке между с. 128—129; Памятники куликовского цикла, ил. 44
Куликовская битва 1380 г.— одно из немногих событий истории России, запечатленных в памятниках народного изобразительного искусства. На картинке, отличающейся самым большим размером среди рисованных лубков, размещены текстовая и изобразительная части. В основу текста положено «Сказание о Мамаевом побоище», заимствованное из Синопсиса (Синопсис — сборник рассказов по русской истории, изданный впервые в конце XVII в. и позднее неоднократно перепечатывавшийся). Картинка была атрибутирована художнику Блинову на основе стилистического и художественного сходства со вторым листом на сюжет Куликовской битвы, хранящимся в Городецком краеведческом музее (инв. № 603), на котором имеется подпись И. Г. Блинова.
Сюжет «Мамаево побоище» известен в гравированном лубке: Ровинский I, т. 2, № 303; т. 4, с. 380—381; т. 5, с. 71—73. В настоящее время выявлено 8 экземпляров гравированного лубка: ГМИИ, гр. 39474, гр. 39475; ГЛМ, кп 44817, кп 44816; ГИМ, 74520, 31555 И Ш хр 7379, 99497; Ярославский музей-заповедник, 43019.
Рисованные листы Блинова в своей основе повторяют гравированный оригинал, и именно тот лубок, как показывает изучение текстов, который возник раньше других, между 1746 и 1785 гг. Художник оба раза пользовался одним гравированным образцом.
«Сказание о Мамаевом побоище» известно в лицевых рукописях. Художник И. Г. Блинов сам неоднократно обращался к миниатюрам «Сказания», создав несколько лицевых рукописей на его сюжет (ГБЛ, ф. 242, № 203; ГИМ, Вост. 234, Барс. 1808). Рисованные листы создавались им независимо от книжных миниатюр.

THE PRINT DONE IN GORODETS

THE VIEW OF THE BATTLE OF KULIKOVO. Second half of the 1890s
Artist I. G. Blinov
Ink, tempera, gold. 75.5×276
—
From the A. P. Bakhrushin collection (1905)
Literature: The Battle of Kulikovo, il. on inset pp. 128–129, The Monuments of the Kulikovo cycle, il. 44. The Battle of Kulikovo which took place in 1380, was one of the rare events in Russian history imprinted in the monuments of folk fine arts. Textual and pictorial parts are placed on the picture of the biggest among other prints size. "The Story of the Battle of Mamayevo" borrowed from

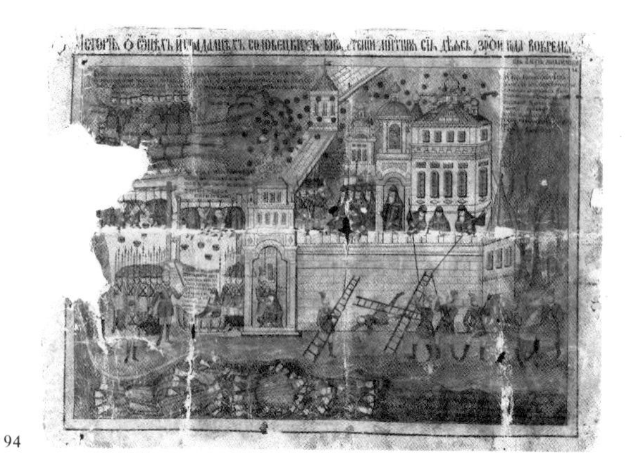

94

synopsis (a collection of stories on the history of Russia published in the late 17th century and republished later) forms the basis of the text. The picture was attributed as done by artist Blinov on the ground of stylistic and artistic affinity to the second sheet on the subject of the Battle of Kulikovo stored at the Gorodets Museum of Local Lore (acq. No 603) which was signed by Blinov.

The subject "The Battle of Mamayevo" is found in loubok engravings as well: Rovinsky , vol 2, No. 303, vol. 4, pp. 380–381, vol, 5, pp. 71-73. At present eight copies of the loubok are known: The Pushkin Fine Arts Museum, gr. 39474, gr. 39475, Literary Museum, kn. 44817, kn. 44816, The Historical Museum, 74520, 31555 И Ш, 7379, 99497, Yaroslavl Museum, 43019. Blinov's prints mainly repeat the engraved original, the loubok done earlier than others, between 1746 and 1785. In both cases the artist used the same engraving.

"The Story about the Battle of Mamayevo" is met in the manuscripts as well. Blinov turned to the miniatures of the "Story" several times and even used the subject in a number of manuscripts (The Linin Library, f. 242, No. 203, The Historical Museum, Vost. 234, Bars. 1808). But he created the prints independently from the book miniatures.

ЛИСТЫ, НЕ ОПРЕДЕЛЯЕМЫЕ ПО МЕСТУ ИЗГОТОВЛЕНИЯ

94. ИЗОБРАЖЕНИЕ РАСПРАВЫ ВОЕВОДЫ МЕЩЕРИНОВА С УЧАСТНИКАМИ СОЛОВЕЦКОГО ВОССТАНИЯ 1668—1676 гг. Вторая половина XIX в
Неизвестный художник
Чернила, темпера. 63×87,5
—
Название: «История о отцех и страдальцех соловецких о разорении монастыря сия деяся 1670 года во время царя Алексия Михаиловича».
Инв. № 83000 И Ш 47629
Поступило из Музея Революции в 1949 г.
Аналогичный сюжет кат. 88
Литература: Иткина I, с. 43
Лист имеет большие утраты, пояснительные тексты полностью не прочитываются. Стрельцы изображены в военных формах, относящихся ко времени царствования Александра II.

UNIDENTIFIED PRINTS

THE PICTURE OF MASSACRE BY VOIVODE MESHCHERINOV OVER THE PARTICIPANTS IN THE SOLOVKI UPRISING, IN 1668–1676. Second half 19th century
Anonymous artist
Ink, tempera. 63×87.5
—
Acq. No. 83000 И Ш 47629
From the Museum of the Revolution (1949)
Analogous composition cat. 88
Literature: Itkina I, p. 43.
The sheet is badly damaged and the comments are not clear.
The gunners are shown in military uniform of the period under Tsar Alexander II.

95. ДАНИИЛ ВИКУЛОВ. Конец XIX в.
Неизвестный художник

Чернила, акварель, золото, белила. 21,9×16,6

—

Название: «Киновиарх пустыни Выговския». Внизу 2 рифмованные строки: «Се Даниил он сын Викулов честен был /что святость веры дел собой он сохранил».

Инв. № 67424 И П 2015

Выполнен в одной манере с портретом кат. 97

О Викулове см. кат. 2

DANIIL VIKULOV. Late 19th century

Anonymous artist

Ink, water-colour, gold, white. 21.9×16.6

—

Below the title there are two versed lines.

Acq. No. 67424 И П 2015

Done in the same manner with the portrait cat. 97.

About Vikulov see cat. 2

96. АНДРЕЙ ДЕНИСОВ. Начало XIX в.

Неизвестный художник

Чернила, темпера. 29×19,8

Бумага с частью филиграни Pro Patria H. Voorn, № 146. 1810-е гг.

Под овалом: «Андрей Дионисовичь». Внизу текст: «Андрей всю истинну открыл пред светом ясно, во всем Христу и церкви всей святей согласно».

Инв. № 53408 И Ш 38555

Поступило из коллекции П. С. Уваровой в 1922 г.

О Денисове см. кат. 2

96

ANDREI DENISOV. Early 19th century

Anonymous artist

Ink, tempera. 29×19.8

Paper with the fragment of the Pro Patria water-mark

H. Voorn, No. 146. The 1810s

There is the text under the oval

Acq. No. 53408 И Ш 38555

From the P. S. Uvarova collection (1922)

About Denisov see cat. 2

97. АНДРЕЙ ДЕНИСОВ. Конец XIX в.

Неизвестный художник

Чернила, акварель, белила, золото. 21,9×16,6

—

Название: «Киновиарх пустыни Выговския». Внизу 2 рифмованные строки: «Сей мудрый философ и правой веры член/ Андрей Денисов сей ответами почтен».

Инв. № 67424 И П 2014

Выполнен в одной манере с портретом кат. 95

О Денисове см. кат. 2

ANDREI DENISOV. Late 19th century

Anonymous artist

Ink, water-colour, white, gold. 21.9×16.6

—

The text in two versed lines is under the title

Acq. No. 67424 И П 2014

Done in the same manner with the portrait cat. 95

About Denisov see cat. 2

97

98. Д. ВИКУЛОВ И П. ПРОКОПЬЕВ С ИЗОБРАЖЕНИЕМ «ПРЕКРАСНОЙ ПУСТЫНИ». 1810-е гг.
Неизвестный художник
Чернила, темпера. 41,2×63,8
Бумага с филигранью П У Ф У 1811 — Переяславского уезда фабрика Угрюмова
Клепиков II, № 589
Слева текст в 4 строки: «Сей достопамятный пустынник, честный Даниил отец... тодивца же Христа сый венчаваем, разгоняет находящих зле на ны ». Справа текст в 5 строк: «Сей досточюдный муж пустынный житель, в юности мира быв... ко Христу верою был тепл, ночи в пустыни с миром».
Инв. № 42949 И Ш хр 12805
Поступило из коллекции А. П. Бахрушина в 1905 г.
Выполнен в одной манере с картинкой кат. 99
О Викулове и Прокопьеве см. кат. 2
D. VIKULOV, P. PROKOPYEV WITH THE PICTURE OF THE "FINE DESERT". The 1810s
Anonymous artist
Ink, tempera. 41.2×63.8
Paper with the II Y F Y 1811 water-mark Ugrumov Factory of the Pereyaslavl Region.
Klepikov II, No. 589
The text in 4 lines is to the left, in 5 lines, to the right.
Acq. No. 42949 И Ш, 12805
From the A. P. Bakhrushin collection (1905)
Done in the same manner with picture cat. 99
About Vikulov and Prokopyev see cat. 2

99. А. ДЕНИСОВ И С. ДЕНИСОВ С ИЗОБРАЖЕНИЕМ ВЫГОВСКОГО ОБЩЕЖИТЕЛЬСТВА. 1810-е гг.
Неизвестный художник
Чернила, темпера: 41,3×64
Бумага с филигранью П У Ф У 1811 — Переяславского уезда фабрика Угрюмова
Клепиков II, № 589
Текст слева в 7 строк: «Что от Бога всем нашим праотцем естественно благо открыся, и еже от Него жь... Дионисьевичем, с велию истинною праведно здесь засвидетельствовася». Текст справа в 7 строк: «Премудрый Симеон трудился во ответах, начаток братнии с ним ко... ничего уже и не злаго».
Инв. № 42949 И Ш хр 19804
Поступило из коллекции А. П. Бахрушина в 1905 г.
О Денисовых см. кат. 2

98

99

A. DENISOV AND S. DENISOV WITH THE PICTURE OF THE VYGOVSKY COMMUNE. The 1810s
Anonymous artist
Ink, tempera. 41.3×64
Paper with the PP Y F Y 1811 water-mark-Ugrumov Factory of the Pereyaslavl Region.
Klepikov II, No. 589
The text in 7 lines is to the left, to the right-the text in 7 lines.
Acq. No. 42949 И Ш, 19804
From the A. P. Bakhrushin collection
About the Denisovs see cat. 2

100. ПАНОРАМА ВЫГОВСКОГО И ЛЕКСИНСКОГО ОБЩЕЖИТЕЛЬСТВ И ПОКЛОНЕНИЕ ИКОНЕ БОГОМАТЕРИ. 1838
Художник В. Тарасов
Чернила, темпера, золото. 65,5×98,5
—
Названия нет. Справа под рамкой запись: «рисовал Василей Тарасов 1838-го Года Мая 25 дн».
Инв. № 23495 Р — 7090
В верхнем ярусе изображено поклонение иноков и настоятелей Выговского монастыря иконе Богоматери Печерской, в среднем ярусе дана панорама Выговского общежительства, протянувшегося вдоль р. Выг, в нижнем — панорама Лексинского общежительства, стоящего на берегу р. Лексы. Внизу помещены пояснения цифрам, проставленным над строениями монастыря.
GENERAL VIEW OF THE VYGOVSKY AND LEKSINSKY MONASTERIES AND THE ADORATION OF THE ICON OF THE VIRGIN. 1833
Artist V. Tarasov
Ink, tempera, gold. 65.5×98.5
—
Without title. To the right under the frame is an inscription with the date and the artist's name.
Acq. No. 23495 p-7090
The Adoration of the Icon of the Virgin by monks and Father-Superiors of the Vygovsky Monastery in placed in the upper tier, the panorama of the Vygovsky Commune stretching along River Vyg is given in the middle tier and the panorama of the Leksinsky Commune situated on the banks of River Leksa — in the lower tier. Below are explanation of the figures marking the monastery structures.

101. СРАВНИТЕЛЬНОЕ ИЗОБРАЖЕНИЕ НЕКОТОРЫХ АТРИБУТОВ ОБРЯДНОСТИ И СИМВОЛИКИ, ПРИНЯТЫХ У СТАРООБРЯДЦЕВ И В ОФИЦИАЛЬНОЙ ПРАВОСЛАВНОЙ ЦЕРКВИ. Начало 1830-х гг.
Неизвестный художник
Чернила, карандаш, темпера. 49,8×60,3
Бумага с филигранью Я Б М Я 1827 — Ярославская большая мануфактура Яковлевых
Клепиков II № 1033
Левая часть озаглавлена: «От лет приснопамятнаго князя Владимера святыя восточныя и апостольския церкви предание с 987 до лет 1666». Правая часть озаглавлена: «Новое предание от лет Никона патриарха с 1666 год».
Инв. № 45556 И Ш 61093
Приобретено у Тюлина в 1909 г.
Аналогичная композиция кат. 102

100

ATTRIBUTES OF THE DIVINE SERVICE AND SYMBOLS USED BY OLD-BELIEVERS AND THE OFFICIAL ORTHODOX CHURCH. Early 1830s
Anonymous artist
Ink, pencil, tempera. 49.8×60.3
Paper with the RB M R 1827 water-mark – the Yakovlevs Yaroslavl Big Factory
Klepikov II, No. 1033
Acq. No. 45556 И Ш 61093
Purchased from Tyulin in 1909
Analogous composition cat. 102

102. СРАВНИТЕЛЬНОЕ ИЗОБРАЖЕНИЕ НЕКОТОРЫХ АТРИБУТОВ ОБРЯДНОСТИ И СИМВОЛИКИ, ПРИНЯТЫХ У СТАРООБРЯДЦЕВ И В ОФИЦИАЛЬНОЙ ПРАВОСЛАВНОЙ ЦЕРКВИ. Середина XIX в.
Неизвестный художник
Чернила, карандаш, темпера. 52,7×73,5
—
Левая часть озаглавлена: «От лет присно-памятнаго князя Владимира старороси-ския церкве содержание». Правая часть озаглавлена: «От лет 1666 Никоново новое российския церкве предание».
Инв. № 38729 И Ш хр 24434
Приобретено «на торгу» в 1900 г.
Аналогичная композиция кат. 101
ATTRIBUTES OF THE DIVINE SERVICE AND SYMBOLS USED BY OLD-BELIEVERS AND TNE OFFICIAL ORTHODOX CHURCH. Mid-19th century
Anonymous artist
Ink, pencil, tempera. 52.7×73.5
—
Acq. No. 38729 ˋ И Ш, 24434
Purchased at the auction in 1900
Analogous composition cat. 101

103. СРАВНИТЕЛЬНОЕ ИЗОБРАЖЕНИЕ НЕКОТОРЫХ АТРИБУТОВ ОБРЯДНОСТИ И СИМВОЛИКИ, ПРИНЯТЫХ У СТАРООБРЯДЦЕВ И В ОФИЦИАЛЬНОЙ ПРАВОСЛАВНОЙ ЦЕРКВИ. 1880-е гг.
Неизвестный художник
Чернила, темпера, золото. 66×96
Бумага с филигранью J Whatman 1880
Клепиков I, № 1206
Левая часть озаглавлена: «Сия святая апостольская церковь Богом узаконенная, духом Святым освещенная, святыми отцы славословится, крест на ней и в ней три-составный, жезл святаго Петра митропо-лита ему даде патриарх Паисий». Правая часть озаглавлена: «Сия великоросииская церковь от лет Никона патриарха преда-ние, на ней и в ней крест двоечастный, жезл со змиями 666».
Инв. № 52789 И Ш хр 12814
Приобретено у А. А. Бахрушина в 1921 г.
ATTRIBUTES OF THE DIVINE SERVICE AHD SYMBOLS USED BY OLD-BELIEVERS AND THE OFFICIAL ORTHODOX CHURCH. The 1880s Anonymous artist
Ink, tempera, gold. 66×96
Paper with the J Whatman water-mark. 1880
Klepikov I, No. 1206
Acq. No. 52789 ˋ И Ш, 12814
Purchased from A. A. Bakhrushin in 1921

104. ИЗОБРАЖЕНИЕ НЕКОТОРЫХ АТРИБУТОВ ОБРЯДНОСТИ И СИМВОЛИКИ, ПРИНЯТЫХ У СТАРООБРЯД-ЦЕВ. Начало XIX в.
Неизвестный художник
Чернила, темпера. 21×16,2
—

101

Название: «От лет приснопамятнаго князя Владимира староросиискиия церкве предание». Внизу текст в 9 строк: «Евангелие учителное, в неделю православия, лист 40. Смеющих же прочее инако мудрствовати... чнет неверных невернейши есть и ниже христианин может быти».
Инв. № 55294 И Ш хр 24307
Поступило от А. А. Бахрушина в 1924 г.
Парный к рисунку кат. 105
ATTRIBUTES OF THE DIVINE SERVICE AND SYMBOLS USED BY OLD-BELIEVERS. Early 19th century
Anonymous artist
Ink, tempera. 21×16.2
—
There is the title and the text in 9 lines. below.
Acq. No. 55294 И Ш, 24307
From the A. A. Bakhrushin collection (1924)
A pair to drawing cat 105.

105. ИЗОБРАЖЕНИЕ НЕКОТОРЫХ АТРИБУТОВ ОБРЯДНОСТИ И СИМВОЛИКИ, ПРИНЯТЫХ В ОФИЦИАЛЬНОЙ ПРАВОСЛАВНОЙ ЦЕРКВИ. Начало XIX в.
Неизвестный художник
Чернила, темпера. 20,8×16
—
Название: «От лет 1658 Никоново предание предадеся. Скрижаль, лист 204». Внизу текст в 9 строк: «Книжица блаженств толкование, листы 54 и 85. Таковии творят с нами распри и не ... недостоиных и ко спасению ненужных, ибо как знать, так и не знать весма не нужно».
Инв. № 55295 И Ш хр 24318
Поступило от А. А. Бахрушина в 1924 г.
Парный к рисунку кат. 104
ATTRIBUTES OF THE DIVINE SERVICE AND SYMBOLS USED BY THE OFFICIAL ORTHODOX CHURCH. Early 19th century
Anonymous artist
Ink, tempera. 20.8×16
—
There is the title and the text in 9 lines below.
Acq. No. 55295 И Ш, 24318
From the A. A. Bakhrushin collection (1924)
A pair to drawing cat. 104

106. ПАТРИАРХ ИОВ. Конец XIX в.
Неизвестный художник
Чернила, карандаш, акварель, золото. 22,3×17,1
—
Внизу текст в 2 строки: «1 патриарх Иов московский и всея России, поставленный Иеремием патриархом константинопольским, в лето».
Инв. № 42949 и II 2019
Поступило из коллекции А. П. Бахрушина в 1905 г.
В 1589 г. в России было учреждено патриаршество, независимое от константинопольского. Иов был первым русским патриархом (1589—1605). В 1605 г. был лишен патриаршества и сослан как сторонник Бориса Годунова.
PATRIARCH JOB. Late 19th century
Anonymous artist
Ink, pencil, water-colour, gold. 22.3×17.1
—
Below is the text in 2 lines.

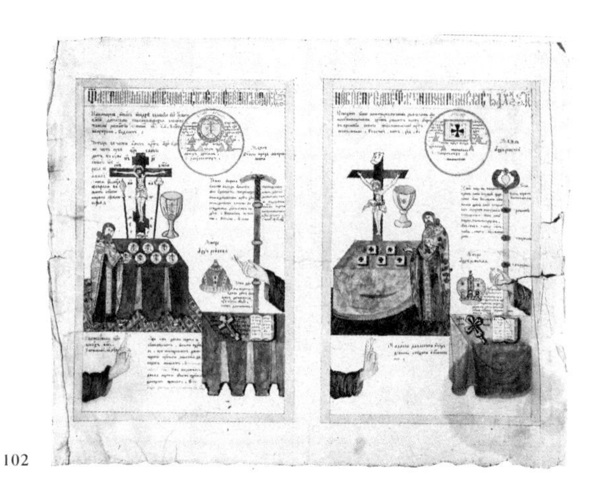

102

Acq. No. 42949 И П 2019
From the A. P. Bakhrushin collection (1905)
Patriarchate independent from the influence of Constantinople Patriarch was established in Russia in 1589 and Job was the first Russian Patriarch (1589-1605). In 1605 he was deprived of his post and deported as an ally of Tsar Boris Godunov.

107. ПАТРИАРХ ГЕРМОГЕН. Конец XIX в.
Неизвестный художник
Чернила, карандаш, темпера, золото. 22,2×17,6
—
Внизу текст в 2 строки: «2 патриарх Гермоген московский и всея России, поставленный собором российских архиереов в лето 1606».
Инв. № 42949 И П 2022
Поступило из коллекции А. П. Бахрушина в 1905 г.
Второй русский патриарх (1606—1612). Во время войны с Польшей в 1610 г. рассылал по городам грамоты с призывом к всенародному восстанию. Умер в заключении у интервентов.
PATRIARCH HERMOGEN. Late 19th century
Anonymous artist:
Ink, pencil, tempera, gold. 22.2×17.6
—
Below is the text in 2 lines
Acq. No. 42949 И П 2022
From the A. P. Bakhrushin collection (1905)
This is the portrait of the second Russian Patriarch (1606–1612). During the war with Poland in 1610 he issued appeals for the national uprising and sent them to Russian towns. Died in prison

108. ПАТРИАРХ ФИЛАРЕТ. Конец XIX в.
Неизвестный художник
Чернила, карандаш, акварель, золото. 21,6×17,5
—
Внизу текст в 2 строки: «3 Филарет патриарх московский и всея России, поставленный Феофаном патриархом иеросалимским в лето 1619 июля в 24 день».
Инв. № 42949 И II 2020
Поступило из коллекции А. П. Бахрушина в 1905 г.
Федор Никитич Романов (ок. 1554—1633) — отец царя Михаила Федоровича. В 1610 г. возглавил посольство к Сигизмунду III и был задержан в польском плену. В 1619 г. избран патриархом (1619—1633).
PATRIARCH FILARET. Late 19th century
Anonymous artist
Ink, pencil, water-colour, gold. 21.6×17.5
—
Below is the text in 2 lines
Acq. No. 42949 И П 2020
From the A. P. Bakhrushin collection (1905)
Fyodor Nikitich Romanov (c. 1554–1633) was the father of Tsar Mikhail Fyodorovich. In 1610 he headed Russian embassy to Poland and was taken prisoner. In 1619 was elected the Patriarch (1619–1633).

103

109. ПАТРИАРХ ИОАСАФ. Конец XIX в.
Неизвестный художник
Чернила, карандаш, акварель, золото. 22,1×16,7
Бумага со штемпелем «фабрика Способина и К° № 4»
Клепиков I, № 191. 1880—1890-е гг.
Внизу текст в 2 строки: «4 Иоасаф патриарх московский и всея России, поставленный собором московских архиереов в лето 1634 февраля в 6 день».
Инв. № 42949 И II 2016
Поступило из коллекции А. П. Бахрушина в 1905 г.
Иоасаф — четвертый русский патриарх (1634—1640)
PATRIARCH JOASAPH. Late 19th century
Anonymous artist
Ink, pencil, water-colour, gold. 22.1×16.7
Paper with the stamp "Sposobin's Factory & Co No. 4"
Klepikov I, No. 191. The 1880–1890s
Below is the text in 2 lines.
Acq. No. 42949 И П 2016
From the A. P. Bakhrushin collection (1905)
Joasaph was the fourth Patriarch of Russia (1634–1640)

110. ПАТРИАРХ ИОСИФ. Конец XIX в.
Неизвестный художник
Чернила, карандаш, акварель, золото. 22,7×17,3
—
Внизу текст в 2 строки: «5 Иосиф патриарх московский и всея России, поставленный собором российских архиереев в лето 1642 марта в 26 день».
Инв. № 42949 И П 2013
Поступило из коллекции А. П. Бахрушина в 1905 г.
Иосиф — пятый русский патриарх (1641—1652)
PATRIARCH JOSEPH. Late 19th century
Anonymous artist
Ink, pencil, water-colour, gold. 22.7×17.3
—
Below is the text in 2 lines.
Acq. No. 42949 И П 2013
From the A. P. Bakhrushin collection (1905)
Joseph was the fifth Patriarch of Russia (1641–1652).

111. ПЯТЬ ПАТРИАРХОВ РУССКОЙ ЦЕРКВИ. Вторая половина XIX в.
Неизвестный художник
Чернила, акварель. 50,3×76,5
—
Инв. № 52789 И Ш хр 10082
Приобретено у А. А. Бахрушина в 1921 г.
Аналогичная композиция кат. 112
Первые пять русских патриархов — Иов, Гермоген, Филарет, Иоасаф, Иосиф — представлены стоящими в арках, в полном облачении, с евангелиями в руках.
FIVE PATRIARCHES OF THE RUSSIAN CHURCH. Second half 19th century
Anonymous artist
Ink, water-colour. 50.3×76.5
—
Acq. No. 52789 И Ш, 10082
Purchased from A. A. Bakhrushin in 1921
Analogous composition cat. 112
The first five Russian Patriarches: Job, Hermogen, Filaret, Joasaph and Joseph are depicted in full dress and standing in the arches with Books of Gospels in their hands

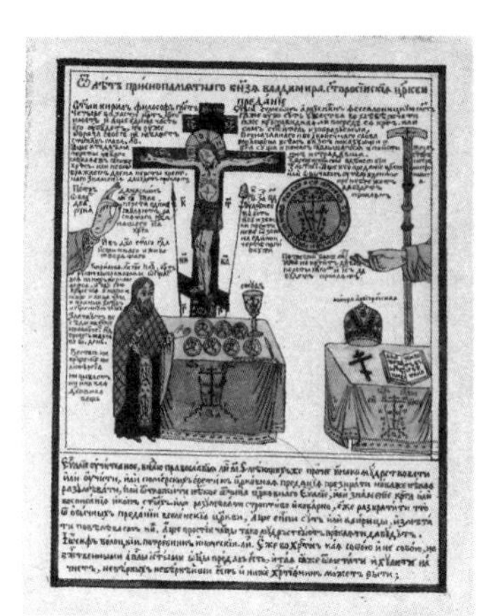

104

112. ПЯТЬ ПАТРИАРХОВ РУССКОЙ ЦЕРКВИ. Вторая половина XIX в.
Неизвестный художник
Чернила, темпера, золото. 33,4×63
—
Инв. № 42949 И II 4402
Поступило из коллекции А. П. Бахрушина в 1905 г.
Лист склеен из двух частей. На левой изображены четыре патриарха — Иов, Гермоген, Филарет, Иоасаф, на правой — патриарх Иосиф.
Аналогичная композиция кат. 111
FIVE PATRIARCHES OF THE RUSSIAN CHURCH. Second half 19th century
Anonymous artist
Ink, tempera, gold. 33.4×63
—
Acq. No. 42949 И П 4402
From the A. P. Bakhrushin collection (1905)
The sheet is glued from two parts. The left part present the four of the patriarches, Job, Hermogen, Filaret and Joasaph, the right one – Patriarch Joseph.
Analogous composition cat. III

113. ПЯТЬ ПАТРИАРХОВ РУССКОЙ ЦЕРКВИ И МАКСИМ ГРЕК. Вторая половина XIX в.
Неизвестный художник
Чернила, темпера, белила, золото. 30,4×50,5
—
Инв. № 42949 И II 4398
Поступило из коллекции А. П. Бахрушина в 1905 г.
FIVE PATRIARCHES OF THE RUSSIAN CHURCH AND ST. MAXIM THE GREEK. Second half 19th century
Anonymous artist
Ink, tempera, white, gold. 30.4×50.5
—
Acq. No. 42949 И П 4398
From the A. P. Bakhrushin collection (1905)

114. МАКСИМ ГРЕК. Начало XIX в.
Неизвестный художник
Чернила, темпера. 42,8×33,5
Бумага имеет голубоватый оттенок, характерный для начала XIX в.
Надпись по сторонам головы: «Преподобный Максим Грек».
Инв. № 42567 И Ш хр 22232
Поступило из коллекции А. П. Бахрушина в 1905 г.
О Максиме Греке см. кат. 7
ST. MAXIM THE GREEK. Early 19th cenrury
Anonymous artist
Ink, tempera. 42.8×33.5
The paper has bluish tint typical of the early 19th century
Acq. No. 42567 И Ш, 22232
From the A. P. Bakhrushin collection (1905)
About St. Maxim the Greek see cat. 7

115. ИЛЛЮСТРАЦИЯ К ПОУЧЕНИЮ М. ГРЕКА О ПРАВИЛЬНОМ КРЕСТНОМ ЗНАМЕНИИ. Начало XIX в.

6

107

Неизвестный художник
Чернила, темпера. 19,8×14,9
—
Надпись: «Тут моя радость и веселие мое». Вокруг центрального изображения пояснительные тексты со ссылками на высказывания М. Грека.
Внизу: «Сия картина написана з древней иконы».
Инв. № 55293
Поступило от А. А. Бахрушина в 1924 г.
Аналогичная композиция кат. 116
ILLUSTRATION TO THE SERMON BY MAXIM THE GREEK ABOUT THE RIGHT SIGN OF THE CROSS. Early 19th century
Anonymous artust
Ink, tempera. 19.8×14.9
—
Acq. No. 55293
From the A. A. Bakhrushin collection (1924)
Analogous composition cat. 116

116. ИЛЛЮСТРАЦИЯ К ПОУЧЕНИЮ М. ГРЕКА О ПРАВИЛЬНОМ КРЕСТНОМ ЗНАМЕНИИ. Конец XIX в.
Неизвестный художник
Чернила, темпера. 41×35,4
—
Надпись: «Тут моя радость и веселия моя». На свитке с текстом: «О зде суть не право воображал крестное знамение».
Инв. № 42949/1126
Поступило из коллекции А. П. Бахрушина в 1905 г.
Аналогичная композиция кат. 115

ILLUSTRATION TO THE SERMON BY MAXIM THE GREEK ABOUT THE RIGHT SIGN OF THE CROSS. Late 19th century
Anonymous artist
Ink, tempera. 41×35.4
—
Acq. No. 42949/1126
From the A. P. Bakhrushin collection (1905)
Analogous composition cat. 115

117. ИЛЛЮСТРАЦИЯ К АПОКРИФУ О РОЖДЕНИИ КАИНА. 1880-е гг.
Неизвестный художник
Чернила, акварель. 34,8×46,8
Бумага с филигранью J Whatman 1881
Клепиков I, № 1206
Название: «Святый апостол Ворфоломей вопроси святаго Андрея Первозваннаго, како и киим образом праотец наш Каин родися, и како рукописание праотец наш Адам даде диаволу. Ответ». Ниже текст в 2 столбца: «Праотец наш Каин скверняв родися, глава на нем яко и нап... Выписано из древних рукописных страстей Христовых».
Инв. № 52789 И Ш хр 22028
Приобретено у А. А. Бахрушина в 1921 г.
Сюжет картинки — апокрифический миф, в котором рассказывается, что младенец Каин появился на свет, имея «на персях и челе» двенадцать змеиных голов. Одним из главных действующих лиц рассказа является дьявол, избавляющий Еву от страданий, причиняемых ей укусами змей во время кормления ребенка. Дьявол обру-

108

1

бает змеиные головы, но берет за это «рукоположение» от Адама. Только крещение Христа в Иордане приводит к сокрушению змиевых голов и уничтожению камня с отпечатками рук Адама, брошенных дьяволом в Иордан. Сюжет встречается в миниатюрах рукописей: ИРЛИ, собр. Перетца № 625, л. 7—7 об. Между картинкой и миниатюрами есть сходство в композиционном решении.
История апокрифического толкования изложена в кн.: Тихонравов Н. С. Памятники отреченной литературы. Т. 1. Спб., 1863. С. 15—17.

ILLUSTRATION TO THE APOCRYPHA ABOUT THE BIRTH OF CAIN. The 1880s
Anonymous artist
Ink, water-colour. 34.8×46.8
Paper with the J Whatman water-mark 1881
Klepikov I, No. 1206
There is the title and the text in 2 lines is under it.
Acq. No. 52789 И Ш, 22028
Purchased from A. A. Bakhrushin in 1921
The Apocryphal myth about Cain's birth when the infant was born with twelve snake's heads on his face and chest makes the subject of the composition. Devil is one of the main characters. He saves Eve from suffering caused by the snakes when she is feeding her child. The Devil cuts off the snakés heads but demands Adamś handshake for this. Only whèn Jesus was baptised in Jordan were the snakes heads defeated and the stone with Adam's imprints thrown into the Jordan by the devil exterminated. The subject is found in miniatures. The Institute of Russian Literature, Perets collection, No. 625, 1.7, reverse. There is similarity between the picture and miniatures in the composition.
The story of the apocrypha is told in the book by N. S. Tikhonravov. Literary Monuments. vol. I. St. Petersburg, 1863, pp. 15—17

118. ДАВЫДОВО ПОКАЯНИЕ. Середина XIX в.
Неизвестный художник
Чернила, темпера. 44,2×33,5
—
Название: «Давыдово покаяние!» В картуше текст в 8 строк: «Давыдово покаяние тако бысть: когда явился к нему пророк Нафан и обличил его тяшкий... ему от Бога в его тяшком грехе... и его нему благоволение».
Инв. № 42949 И Ш 61107
Поступило из коллекции А. П. Бахрушина в 1905 г.
Аналогичная композиция кат. 119
Картинки (кат. 118, 119) иллюстрируют эпизод из «2-й книги Царств» (гл. 11—12), в котором рассказывается о том, что к царю Давиду явился пророк Нафан и обличил его в убийстве и прелюбодеянии (Давид послал на войну с аммонитянами Урию Хеттянина, желая его смерти, и взял в дом его жену Вирсавию). В композицию включен текст покаянного псалма, в котором Давид вымаливает себе прощение (Псалтырь, псалом 50). Текст покаянного псалма написан на извивающихся полосах, образующих круги, ромбы, треугольники, сердца.

THE REPENTANCE OF DAVID. Mid-19th century
Anonymous artist
Ink, tempera. 44,2×33,5
—
There is the title, the text in 8 lines in the cartouche.
Acq. No. 42949 И Ш 61107
From the A. P. Bakhrushin collection (1905)
Analogous composition cat. 113
The pictures (cat. 118, 119) illustrate an episode from the Second Book of the Kings» from the Bible (ch. 11—12) telling how Nathan was sent to David to rebuke him in murder and adultery. David had sent Uriah the Hattite to war against Ammonites wishing he had died and took his wife Bathsheba into his house. The conposition includes the Confession psalm (Psalter, 50) in which David is praying for mercy. The psalm is written on the winding stripes forming circles, triangles, hearts and rhombs.

119. ДАВЫДОВО ПОКАЯНИЕ. Середина XIX в.
Неизвестный художник
Чернила, темпера. 44,7×33,5
—
Инв. № 42949 И Ш хр 10255
Поступило из коллекции А. П. Бахрушина в 1905 г.
Аналогичная композиция кат. 118
THE REPENTANCE OF DAVID.
Mid-19 century
Anonymous artist
Ink, tempera. 44,7×33,5
—
Acq. No. 42949 И Ш, 10255
From the A. P. Bakhrushin collection (1905)
Analogous composition cat. 118

120. МОНАРХИЧЕСКИЙ КОЛОСС. Начало XIX в.
Неизвестный художник
Чернила, темпера. 69×48,4
Бумага с филигранью Van Der Ley [фортуна с шарфом на сфере] VD [лигатура] Клепиков I, № 1395. 1799 г.
Инв. № 30319 И Ш 61103
Приобретено «на торгу» в 1894 г.
Аналогичная композиция кат. 121—123
На картинках (кат. 120—123) изображен огромный воин — истукан, которого согласно библейской легенде (книга пророка Даниила, гл. 2) увидел во сне царь Навуходоносор и который символизировал историю смены монархий. Смысл сна был истолкован пророком Даниилом. На шлеме, латах, одежде и на ногах колосса

111

112

помещены названия монархий и царств и перечислены государи, царствовавшие в них. Упомянуты «первая монархия Ассирийская», «вторая монархия Мидская и Персидская», «третья монархия Греческая», «четвертая монархия Римская», «царство Восточное» и «Западное государство». По сторонам от колосса на картинках помещены изображения четырех зверей, которые явились в видении пророку Даниилу (книга пророка Даниила, гл. 7): крылатый лев (Ассирия), медведь с тремя клыками в пасти (Персия), четырехглавый леопард (Греция) и десятирогий зверь (Рим).

Сюжет заимствован из печатных лубочных картинок, где он появился во второй половине XVIII в.: Ровинский I, т. 2 № 293; т. 4, с. 363—364. В миниатюрах рукописи «Сказание о видении Навуходоносора и о пророке Данииле» (ГИМ, Муз. 4087) много общего с лубочными картинками, но воин-истукан не имеет на себе такого обилия надписей исторического характера.

MONARCHICAL COLOSSUS. Early 19th century

Anonymous artist

Ink, tempera. 69×48,4

Paper with the Van Der Ley water-mark (Fortune with the scarf around her neck). V D (ligature)

Klepikov I, No. 1395. 1799

Acq. No. 30319 И Ш 61103

Purchased at the auction in 1894

Analogous composition cat. 121–123.

The pictures (cat. 120–123) show an enormous warrior – idol, who appeared before Kins Nebuchadnezzar in his dream (Prophet Daniel, ch. 2) and who symbolizes the changes of monarchies. The meaning of the dream was explained by the Prophet Daniel. The warrior's attire, helmet, armour and his feet carry the names of the monarchies and the tsars. The first, Assirian monarchy, the second monarchy of Midia and Persia, the third Greek monarchy, the fourth Roman monarchy; the Eatern and Western kingdoms are also mentioned. The pictures on both sides of the colossus depict four beasts, which appeared to the Prophet Daniel in his dream (Daniel, ch. 7): winged lion, (Assiria), a bear with three fangs in his maw (Persia), leopard with four heads (Greece) and a beast having four horns (Rome).

The theme is taken from loubok engravings in which it appeared in the second half of the 18th century: Rovinsky I vol. 2, No. 293, vol. 4, pp. 363–364. The miniatures from the manuscript «The Vision of the Prophet Daniel to King Nebuchadnezzar» (The Historical Museum, mus. 4087) have much in common with the loubok pictures, but there the warrior has not so many historical inacriptions.

121. МОНАРХИЧЕСКИЙ КОЛОСС. Середина XIX в.

Неизвестный художник

Чернила, темпера. 69,7×49,4

—

Инв. № 29730

Приобретено «на торгу» в 1894 г.

Аналогичная композиция кат. 120,122,123

MONARCHICAL COLOSSUS. Mid-19th centrury

Anonymous artist

Ink, tempera. 69,7×49,4

—

113

Acq. No. 29730
Purchased at the auction in 1894
Analogous composition cat. 120, 122, 123

122. МОНАРХИЧЕСКИЙ КОЛОСС. Вторая половина XIX в.
Неизвестный художник
Чернила, акварель. 89,5×70,5
—
На обороте листа штамп московского археологического общества и дата «1864 г.»
Инв. № 72514 И Ш хр 24287
Аналогичная композиция кат. 120, 121, 123
MONARCHICAL COLOSSUS. Second half 19th century
Anonymous artist
Ink. water-colour. 89,5×70,5
—
There is a stamp of the Moscow Archaeological Society and the date "The Year 1864" on the reverse.
Acq. No. 72514 И Ш, 24287
Analogous composition cat. 120, 121, 123.

123. МОНАРХИЧЕСКИЙ КОЛОСС. Вторая половина XIX в.
Неизвестный художник
Чернила, карандаш, темпера, золото. 45,5×36,3
—
Внизу текст в 3 строки: «Навоходоносор царь вавилонский видение сие виде, а Дани...»
Инв. № 37090 И Ш 61104
Приобретено «на торгу» в 1899 г.
Аналогичная композиция кат. 120—122
В верхней части листа добавлены два клейма с видением пророку Даниилу.
MONARCHICAL COLOSSUS. Second half 19th century
Anonymous artist
Ink, pencil, tempera, gold. 45,5×36,3
—
The text in 3 lines is below.
Acq. No. 37090 ` И Ш 61104
Purchased at the auction in 1899
Analogous composition cat. 120–122.
Two margin scenes are painted in the upper part of the sheet with the Vision of the Prophet Daniel.

124. ВИДЕНИЕ ПРОРОКУ ДАНИИЛУ. 1810-е гг.
Неизвестный художник
Чернила, темпера. 33,3×21,1
Бумага с филигранью М О Ф Е Б — Московской округи фабрика Елизаветы Баташевой
Клепиков I, № 359. 1804—1810-е гг.
Название: «Библия, Видение пророка Даниила, глава 7». Ниже текст в 26 строк: «Аз Даниил видев в видении моем нощию зверь четвертый горд и страшен и кре... римскаго царства».
Инв. № 42949/1031
Поступило из коллекции А. П. Бахрушина в 1905 г.
На картинке представлен один из эпизодов, иллюстрирующих библейскую книгу пророка Даниила (гл. 7) — явление Даниилу четвертого зверя, олицетворяющего Римскую империю.

114

THE VISION OF THE PROPHET DANIEL. The 1810s
Anonymous artist
Ink, tempera. 33,3×21,1
Paper with the M O F E B water-mark — Yelizaveta Batashevas Factory of the Moscow Region.
Klepikov ˋ, No. 359. 1804 — the 1810s
The text in 26 lines is under the title.
Acq. No. 42949/1031
From the A. P. Bakhrushin collection (1905)
One of the episodes illustrating the Bible, Prophet Daniel, 7, the appearance of the fourth beast symbolizing the Roman Empire to the Prophet Daniel, is shown in the picture.

116

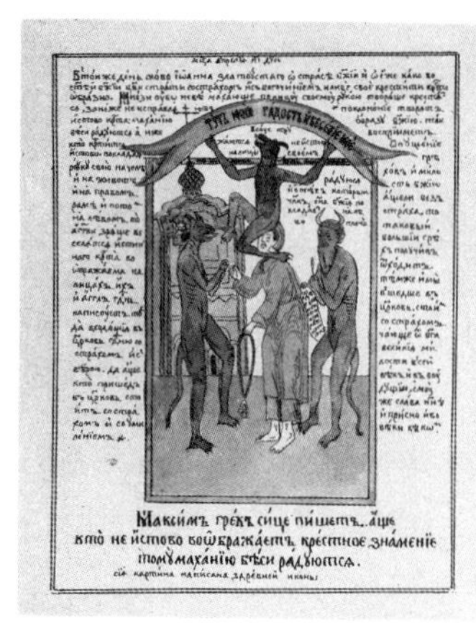

125. ПЕЧАТЬ ПРЕМУДРОГО ЦАРЯ СОЛОМОНА. Вторая половина XIX в.
Неизвестный художник
Чернила, темпера. 22,4×17,4
—
Название: «Печать премудраго царя Соломона». Текст в 23 строки: «С: сый искони вечное имя иже сотвори... живых и мертвых и воздати комуждо по делом их».
Инв. № 99497 И Ш хр 12686
Сюжет см. кат. 46
THE SEAL OF KING SOLOMON THE WISE. Second half 19th century
Anonymous artist
Ink, tempera. 22,4×17,4
—
There is the title, the text in 23 lines is below.
Acq. No. 99497 И Ш, 12686
The subject see cat. 46

126. ПРИТЧА О БОГАЧЕ И НИЩЕМ ЛАЗАРЕ. Вторая половина XIX в.
Неизвестный художник
Чернила, акварель, карандаш. 45,5×36
—
Название: «О богатом и о Лазаре». Внизу текст в 4 строки: «Бе некто богат человек... порфиру одевася, и наслажде... ти не сотвори».
Инв. № 30674 И Ш хр 8149
Приобретено «на торгу» в 1894 г.
Картинка иллюстрирует притчу, восходящую к Евангелию от Луки (гл. 16), в которой рассказывается о жизни, наслажде-

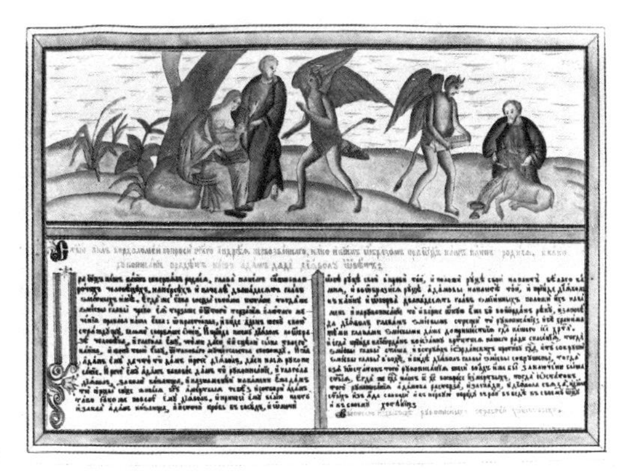

117

ниях и пиршествах богатого человека и бедствиях нищего, лежавшего в струпьях у ворот богача и выпрашивавшего милостыню, которым воздалось по делам их после смерти. Сюжет перешел в рисованный лубок из печатных народных картинок: Ровинский I, т. 3, № 689; т. 4, с. 519—520. Широкое распространение имели духовные стихи о богатом и убогом Лазаре.

THE PARABLE OF THE RICH MAN AND LAZARUS. Second half 19th century
Anonymous artist
Ink, water-colour, pencil. 45,5×36
—
There is the title, and the text in 4 lines is below it.
Acq. No. 30674 И Ш, 8149
Purchased at the auction in 1894
The picture illustrates a parable from the Book of Gospels (Luke, 16) telling of life of the rich man, full of feasts and pleasures, and about the privations of the beggar lying all scabbed at the rich mań s gates. Both get their worth after death. The subject came to the loubok prints from the popular engravings: Rovinsky ̀, vol. 3, No. 689, vol. 4, pp. 519–520. Widely spread were also the verses about the rich and Lazarus.

119

120

127. ЯВЛЕНИЕ ИОАННУ БОГОСЛОВУ АНГЕЛА С КНИГОЙ. Начало XIX в.
Неизвестный художник
Чернила, темпера, олифа. 65,5×45
—
Инв. № 26963 И Ш 61086
Приобретено у С. Т. Большакова в 1892 г.
Картинка выполнена на сюжет из Апокалипсиса (гл. 10). Композиционное решение традиционно для данного типа изображений. Показан эпизод дарования книги Иоанну Богослову, над головой ангела — радуга, лицо представлено в виде солнца, ноги — огненные столпы, стоящие на море и на земле. Иоанн стоит на коленях, протянув руки к книге. Сюжет известен в печатных листах: Ровинский I, т. 3, № 810 (31). Существует большое число миниатюр в рукописных апокалипсисах, где неизменно встречается эпизод дарования книги.

122

THE APPEARANCE OF THE ANGEL WITH A BOOK TO ST. JOHN THE THEOLOGIAN. Early 19th century
Anonymous artist
Ink, tempera, drying oil. 65,5×45
—
Acq. No. 26963 ` И Ш 61086
Purchased from C. T. Bolshakov in 1892
The subject of the picture is taken from the Apocalypse, 10. The compositionis traditional for the similar pictures. The author shows an episode of presenting St. John the Theologian with the book. There is a rainbow above the Angee's head, the face is the sun, feet — the columns of fire standing in the sea and on the earth. St. John is kneeling with his hands stretched out to the book. The subject is also found in engravings: Rovinsky , vol. 3, No. 810/317. Many miniatures dealing with this traditional subject can be met in the handwritten Apocalypses where an episode with the book is necessarily present.

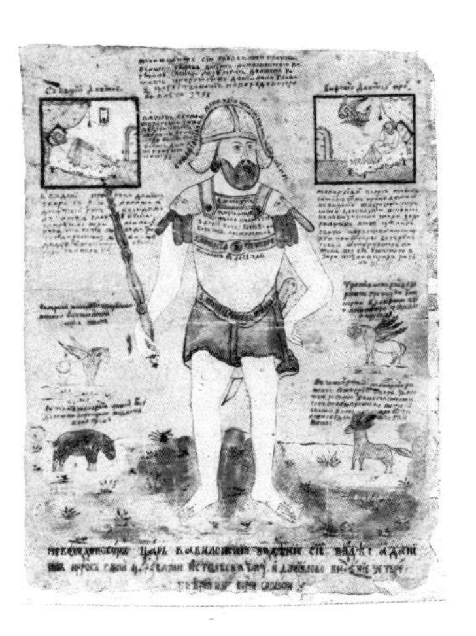

128. РАЙСКАЯ ПТИЦА СИРИН. Середина XIX в.
Неизвестный художник
Чернила, темпера. 42,8×35
Бумага с филигранью А Н В Ф неизвестной фабрики
Над головой птицы текст в 3 строки: «Птица райская Сирин, в пении глас ея зело силен. На востоке во едемском раю пребывает, непрестанно красно воспевает, праведным будущую радость возвещает».

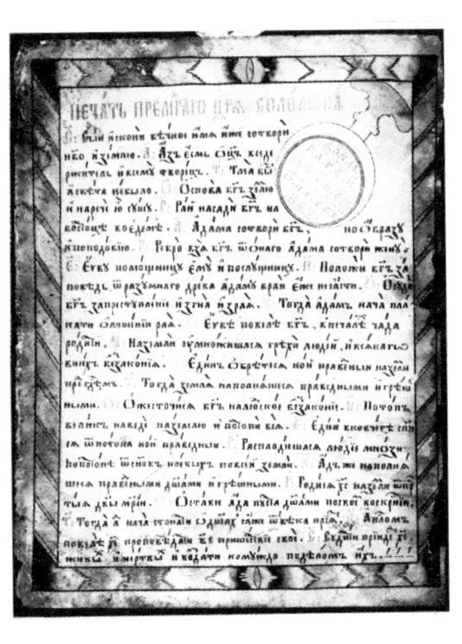

124

На обороте листа запись с указанием цены: «осмигривеннок».
Инв. № 42949 И Ш 61059
Поступило из коллекции А. П. Бахрушина в 1905 г.
Упрощенный вариант композиции кат. 16—18
SIRIN, THE BIRD OF PARADISE. Mid-19th century
Anonymous artist
Ink, tempera. 42,8×35
Paper with the A H B F water-mark of an unidentified factory
There is the text in 3 lines above the bird's head.
Acq. No. 42949 И Ш 61059
From the A. P. Bakhrushin collection (1905)
A simplified version of the composition cat. 16–18.

129. РАЙСКАЯ ПТИЦА СИРИН. Середина XIX в.
Неизвестный художник
Чернила, темпера, золото. 71×54,5
—
Название в картуше: «Райская птица зовомая Сирин, глас ея в пении зело силен». Под рамкой текст в 3 строки: «Человецы потщитеся еже рая насладитеся и слышати пение райских птиц и ви... не виде и ухо не

126

слыша и на сердца человеку не взыде, уже уготова Бог любящим его».
Инв. № 42949 И Ш 61069
Поступило из коллекции А. П. Бахрушина в 1905 г.
Лист парный к картинке кат. 132
SIRIN, THE BIRD OF PARADISE. Mid-19th century
Anonymous artist
Ink, tempera, gold. 71×54,5
—
The title is in the cartouche and the text in 3 lines, under the frame.

Acq. No. 42949 И Ш 61069
From the A. P. Bakhrushin collection (1905)
A pair to cat. 132

128

130. РАЙСКАЯ ПТИЦА СИРИН. Вторая половина XIX в.
Неизвестный художник
Чернила, карандаш. 45,8×36,4
—
В картуше: «Сирин». Справа текст в 21 строку: «Птица райская Сирин... книга Гранографа, глава 4, 98».
Инв. № 30434
Приобретено «на торгу» в 1894 г.
SIRIN, THE BIRD OF PARADISE. Second half 19th century
Anonymous artist
Ink, pencil. 45,8×36,4
—
The word "Sirin" is in the cartouche, to the right — the text in 21 lines.
Acq. No. 30434
Purchased at the auction in 1894.

131. РАЙСКАЯ ПТИЦА АЛКОНОСТ. 1830-е гг.
Неизвестный художник
Чернила, карандаш, темпера. 43,4×33,8

130

Бумага с филигранью ГОНЧАРОВЪ с датой «1833»
Под картинкой текст в 4 строки: «Птица райская Алконост близь рая пребывает, а иногда на Ефрат... будет ум его лишается и душа телес своих лишается».
Инв. № 42949 И Ш 61065
Поступило из коллекции А. П. Бахрушина в 1905 г.
ALCONOST, THE BIRD OF PARADISE. The 1830s
Anonymous artist
Ink, pencil, tempera. 43,4×33,8
Paper with the Gonöarov̄ water-mark dated 1833
There is the text in 4 lines under the picture.
Acq. No. 42949 И Ш 61065
From the A. P. Bakhrushin collection (1905)

132. РАЙСКАЯ ПТИЦА АЛКОНОСТ. 1845
Художники А. Иванов, У. Васильев
Чернила, темпера, золото. 71,5×54,4
—
Название в картуше: «Сия птица глаголемая райской Алконост, близ рая пребывает». Справа надпись: «Написася сия птица в 1845 году Алексеем Ивановым иконописцем и служителем его Устином Васильевым, иконописцем Авсюниским». Внизу текст в 4 строки: «Птица Алконост близ рая пребывает. Некогда и на Ефрате реке бывает, егда же в пение глас испуща... святых... будущую им радость возвещает, многая благая тем сказует, тое в свитке яве показует».
Инв. № 42949 И Ш 61070
Поступило из коллекции А. П. Бахрушина в 1905 г.
Лист парный к картинке кат. 129
ALCONOST, THE BIRD OF PARADISE. 1845
Artists A. Ivanov, U. Vasilyev
Ink, tempera, gold. 71,5×54,4
—

131

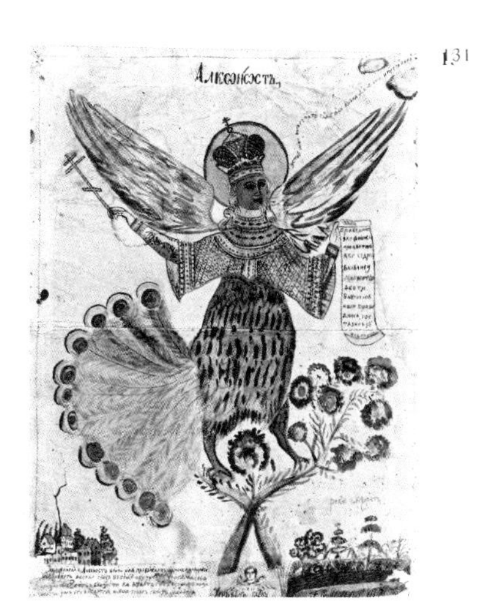

132

The title is in the cartouche and an inscription, to the right.
Acq. No. 42949 И Ш 61070
From the A. P. Bakhrushin collection (1905)
A pair to the picture cat. 129

133. РАЙСКАЯ ПТИЦА АЛКОНОСТ. Вторая половина XIX в.
Неизвестный художник
Чернила, акварель, карандаш. 45,8×36,7
—
Название в картуше: «Алконост». Слева текст в 16 строк: «Птица райская Алконост... книга гранограф, глава 4,98».
Инв. № 42949 И Ш 61066
Поступило из коллекции А. П. Бахрушина в 1905 г.
ALCONOST, THE BIRD OF PARADISE. Second half 19th century
Anonymous artist
Ink, water-colour, pencil. 45.8×36.7
—
The title is in the cartouche, the text in 16 lines, to the left.
Acq. No. 42949 И Ш 61066
From the A. P. Bakhrushin collection (1905)

134. РАЙСКАЯ ПТИЦА АЛКОНОСТ. Вторая половина XIX в.
Неизвестный художник
Чернила, темпера. 88×65
—
Название в картуше: «Птица зовомая Алконост святаго и блаженнаго рая». Внизу заглавие: «Есть же о птице сей сказание сицево». Ниже текст в 3 строки: «Сия птица райской Алконост близь рая пребывает, некогда и на Ефрате реке бывает, егда же внекий глас испущает, тогда и самой себе не ощущает, а кто... им радость возвещает. И многая благая...»
Инв. № 41990 И Ш 61055
Приобретено «на торгу» в 1904 г.
К традиционному изображению самого Алконоста добавлены некоторые элементы рассказа о человеке, умирающем от пения птицы.
ALCONOST, THE BIRD OF PARADISE. Second half 19th century
Anonymous artist
Ink, tempera. 88×65
—
The title is in the cartouche and an inscription, under it.
Acq. No. 41990 И Ш 61055
Purchased at the auction in 1904
Some details from the story of a man dying from bird's singing are added to the traditional representation of the Bird

135. ТРАПЕЗА БЛАГОЧЕСТИВЫХ И НЕЧЕСТИВЫХ. Вторая половина XIX в.
Художник Егор Игнатьевич (?)
Чернила, карандаш, темпера. 34,6×43
—
Название: «Выписано из книги Златоуста,

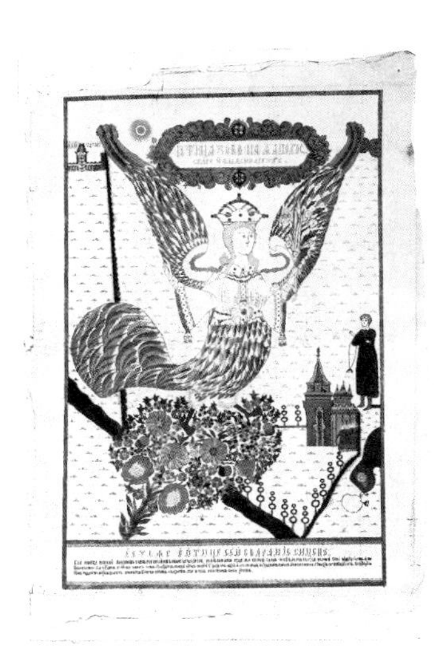

134

слово 42 преподобного Нифонта, от ядущих за трапезой с молчанием, и яко же дым отгонит пчелы, тако и праздныя глаголы служители Божия». Под картинкой карандашная запись: «Писал Егор Игнатьевич. Принадлежит Сорокину Ивану».
Инв. № 42949 И Ш хр 9211
Поступило из коллекции А. П. Бахрушина в 1905 г.
Аналогичный сюжет кат. 62

THE MEAL OF THE RIGHTEOUS AND THE INFIDEL. Second half 19th century
Artist Yegor Ignatyevich (?)
Ink, pencil, tempera. 34,6×43
—
Acq. No. 42949 И Ш, 9211
From the A. P. Bakhrushin collection (1905)
Analogous subject cat. 62

136. ПРИТЧА О «НЕРАДИВОМ И РАДИВОМ» ЮНОШАХ. 1869
Художник М. Никин

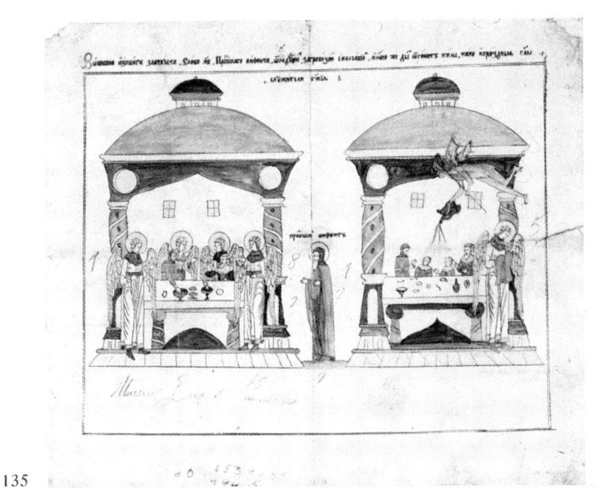

135

136

Чернила, темпера. 46,5×64,3
—
Название: «Притча из синодикта о двух юношех родивом и неродивом».
Внизу текст в 2 столбца: «Некии два юноша идоша в поля гуляты в день нидельный, един слушав Божес... и благодаря Господа Бога и пречистую Богородицу; выписана сия кортина от рождества Христова 1869 году». Ниже: «месяца июня 22 дня, сия кортина Миркулия Никина».
Инв. № 70331 И Ш 61062
Приобретено у А. К. Ечкина в 1931 г.
Картина иллюстрирует притчу, рассказывающую о поведении двух юношей. Один усердно посещал церковь, а второй пренебрегал этим. Когда их застала в поле гроза, в нерадивого попала молния и убила его, а тот, кто утром был на службе в церкви, оказался невредим. Сюжет появился на Руси в составе сборника «Великое зерцало» (гл. 74), оттуда попал в синодики, а затем перешел в печатные народные картинки.
Рисунок близок к гравированному лубку: Ровинский I, т. 3, № 709; т. 4, с. 528.
Сюжет проиллюстрирован в миниатюрах: ИРЛИ, собр. Перетца № 625, л. 17–18. Картинка независима от миниатюр.
История бытования притчи в синодиках изложена в кн.: Петухов Е. В. Очерки из литературной истории синодиков. Спб., 1895. С. 189. № 100.

PARABLE ABOUT FOOLISH AND WISE YOUTHS. 1869
Artist M. Nikin
Ink, tempera. 46,5×64,3
—
There is the title, the text in two columns, below.
Acq. No. 70331 И Ш 61062
Purchased from A. K. Yechkin in 1931
The picture illustrated the parable about two youths: one regularly went to the church, while the other ignored it. When they were caught by the storm in the field the ignorant youth was killed by the lightning, but the believer escaped. The subject first appeared in Russia included in the collection "The Great Mirror" (74) from where it spread to Synodics and to the popular engravings.
The drawing is close to the loubok engraving: Rovinsky I, vol. 3, No. 709, vol. 4, p. 528.
The subject is also found in miniatures: The

137

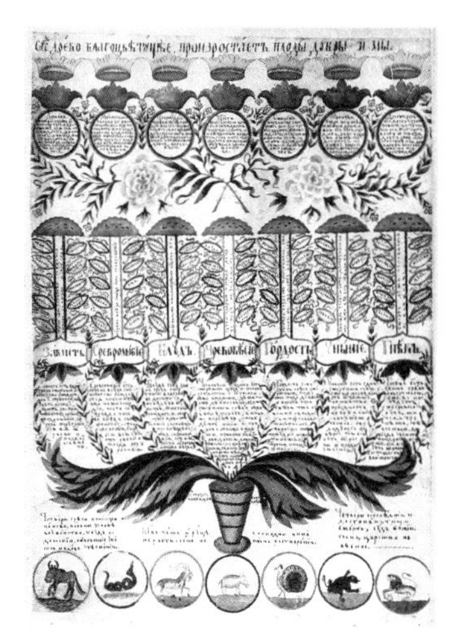

Institute of Russian Literature, Perets collection, No. 625, l. 17–18. The pictures are independent of the miniatures. The spreading of the subject in Synodics is told in the book by Petukhov Ye. V. "Essays from the Literary History of Synodics". St. Petersburg, p. 189, No. 100.

137. СМЕРТЬ СВ. ФЕОДОРЫ И ВИДЕНИЕ МЫТАРСТВ ДУШИ. Вторая половина XIX в.
Неизвестный художник
Чернила, карандаш, темпера, золото. 69,7×52,3
—
Инв. № 16116 И Ш хр 9990
Поступило из коллекции П. И. Щукина в 1905 г.
Аналогичный сюжет кат. 138
Картинки кат. 137, 138 иллюстрируют сюжет, взятый из «Жития пр. Василия Нового», написанного его учеником Григорием. В нем повествуется о смерти св. Феодоры, исходе ее души из тела и путешествии души в сопровождении двух ангелов по воздушной лестнице, каждая из 20 ступеней которой являла различные виды мучений грешников, посылаемых за сквернословие, чревоугодие, убийство, блуд, пьянство и др.
Сюжет известен в печатном лубке: Ровинский I, т. 3, № 728; т. 4, с. 546. В многочисленных миниатюрах к «Житию пр. Василия Нового» встречаются изображения мытарств души. Рисованные картинки совершенно самостоятельны в композиционных решениях.

THE DEATH OF ST. THEODORA AND THE VISION OF THE ORDEALS OF THE SOUL. Second half 19th century
Anonymous artist
Ink, pencil, tempera, gold. 69.7×52.3
—
Acq. No. 16116 И Ш, 9990
From the P. I. Shchukin collection (1905)
Analogous composition cat. 138
The pictures (cat. 137, 138) illustrate the subject taken from the "Life" of St. Basil the New written bu his pupil St. Grigory. The episode is telling of the death of St. Theodora and the exodus of her soul and its ascending the airy ladder accompanied by two angels. Each step of the ladder symbolize different types of torments suffered by the sinners for murder, foul language, gluttony, adultery, alcoholism. The subject is also found in engravings: Rovinsky , vol 3, No. 728, vol. 4 p. 546. The soul's torments are met in numerous miniatures from the "Life" of St. Basil the New, but loubok prints are absolutely independent in treating the theme.

138. СМЕРТЬ СВ. ФЕОДОРЫ И ВИДЕНИЕ МЫТАРСТВ ДУШИ. Вторая половина XIX в.
Неизвестный художник
Чернила, белила, темпера. 65,5×52,4
—

140

Инв. № 32490 И Ш 61064
Приобретено «на торгу» в 1895 г.
Аналогичный сюжет кат. 137
THE DEATH OF ST. THEODORA AND THE VISION OF THE ORDEALS OF THE SOUL. Second half 19th century
Anonymous artist
Ink, white, tempera. 65.5×52.4
—
Acq. No. 32490 И Ш 61064
Purchased at the auction in 1895
Analogous composition cat. 137

139. СЕМЬ СМЕРТНЫХ ГРЕХОВ. Вторая половина XIX в.
Неизвестный художник
Чернила, темпера. 66,5×47,8
—
Название: «Сие древо благоцветущее, произростает плоды дóбры и злы».
Инв. № 31236 И Ш 61053
Приобретено у Н. Ф. Гурьева в 1895 г.
Аналогичная композиция кат. 48, 71
THE SEVEN MORTAL SINS. Second half 19th century
Anonymous artist
Ink, tempera. 66.5×47.8
—
Acq. No. 31236 И Ш 61053
Purchased from N. F. Guryev in 1895
Analogous composition cat. 48, 71.

140. АПТЕКА ДУХОВНАЯ. Вторая половина XIX в.
Неизвестный художник
Чернила, темпера, золото. 74×53,5
—
Название: «О врачевании духовнем». Ниже текст в 8 строк: «Прииде некий черноризец во врачевницу и виде врача вельми премудра, к нему же прихождаху мнози... следник вечныя жизни, о Христе Исусе Господе нашем, в бесконечныя веки, аминь».
Инв. № 74651 И Ш хр 9591
Аналогичная композиция кат. 82
PHARMACY SPIRITUAL. Second half 19th century
Anonymous artist
Ink, tempera, gold. 74×53.5
—
There is the title and the text in 8 lines, below.
Acq. No. 74651 ˋ И Ш 9591
Analogous composition cat. 82

141. АДАМОВА ГОЛОВА, ПЕРЕВИТАЯ ЗМЕЕЙ. Середина XIX в.
Неизвестный художник

143

Чернила, темпера. 19×10,9

Название: «Трие вещи держат мя в печали века сего: 1 иму умрети, 2 не вем когда, 3 где тамо обрящуся».
Инв. № 55292
Поступило от А. А. Бахрушина в 1924 г.
Изображение головы Адама сопровождается текстом, напоминающим человеку о быстротечности времени и неизбежности смерти.
Череп Адама помещался в подножии голгофского креста, на котором был распят Христос.
ADAM'S HEAD WITH A SNAKE. Mid-19th century
Anonymous artist
Ink, tempera. 19×10.9
—
Acq. No. 55292
From the A. A. Bakhrushin collection (1924)
The picture of the head of Adam is accompanied with a text reminding the man of the briefness of time and the inevitability of death.
Adam's skull was placed at the foot of the Golgotha cross.

142. О ДОБРЫХ ДРУЗЬЯХ ДВЕНАДЦАТИ. 1840
Неизвестный художник
Чернила, темпера. 55,3×39,2
—
Название: «О добрых друзех дванадесять».
Надпись внизу содержит дату создания листа: «...с ними дружбою крепкою, аминь. Написана сия картина 1840 года февраля 22 числа».
Инв. № 45556
Приобретено у М. И. Тюлина в 1909 г.
Аналогичная композиция кат. 31, 32
ABOUT THE TWELVE KIND FRIENDS. 1840

144

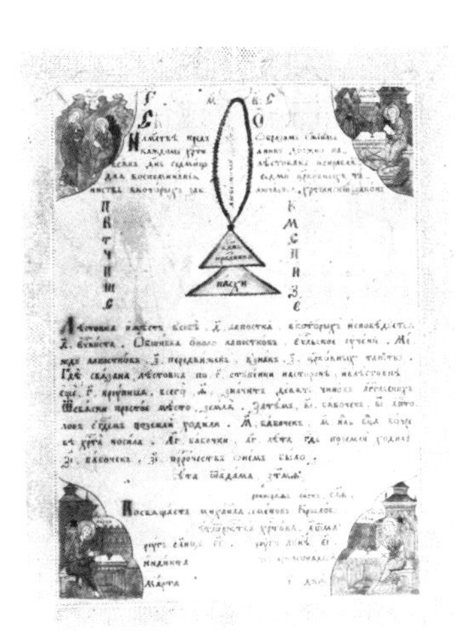

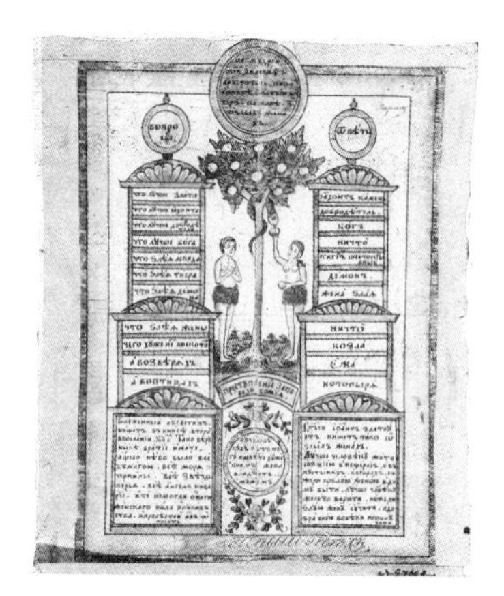

146

14

Anonymous artist
Ink, tempera. 55.3×39.2
—
An inscription below has the date of painting the sheet.
February 22, 1840.
Purchased from M. I. Tyulin in 1909
Analogous composition cat. 31, 32

143. О ДОБРЫХ ДРУЗЬЯХ ДВЕНАДЦАТИ. Вторая половина XIX в.
Неизвестный художник
Чернила, темпера, 31,7×18
—
Название: «Дванадесять добрых друзей». Внизу текст в 3 строки: «О человече божий! Понуди себе на всякое дело бла... доселе и труды твоя смерть вовся пресечет».
Инв. № 29731 И Ш хр 24438
Приобретено «на торгу» в 1894 г.
ABOUT THE TWELVE KIND FRIENDS. Second half 19th century
Anonymous artist
Ink, tempera. 31.7×18
—
Below the title is the text in 3 lines.
Acq. No. 29731 И Ш, 24438
Purchased at the auction in 1894

148

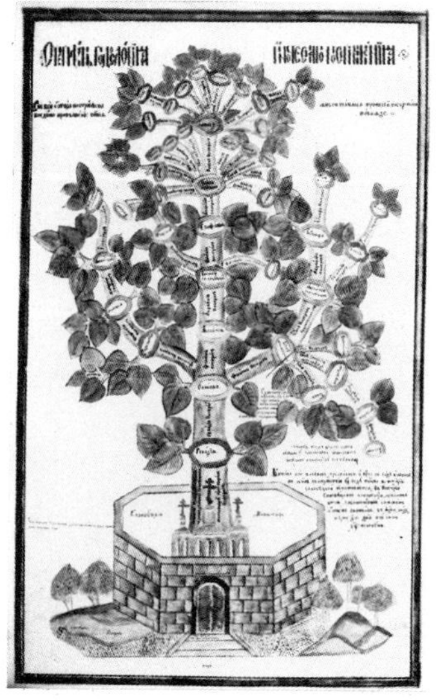

144. СКАЗАНИЕ О ЛЕСТОВКЕ. 1841
Художник М. С. Крылов
Чернила, темпера. 24,9×19,7
—
Название: «Сказание о лестовке». Часть пояснительного текста на листе смыта и плохо прочитывается. В нижней части текста запись: «Посвящает Михайла Семенов Крылов, лето от рождества Христова 1841».
Инв. № 16116 И Ш хр 9571
Поступило из коллекции П. И. Щукина в 1905 г.
Лестовка — кожаные четки старообрядцев. На картинке разъясняется символика всех составных частей лестовки: лепестков, узлов, передвижек.

THE STORY OF THE LESTOVKA. 1841
Artist M. S. Krylov
Ink, tempera. 24.9×19.7
—
There is the title, a part of the commentary is damaged and is hardly readable.
Acq. No. 16116 И Ш, 9571
From the P. I. Shchukin collection (1905)
Lestovka is leather beads used by Old-Believers. The picture explains the symbols included in the lestovka, petals, knots and shifts.

145. ВОПРОСЫ И ОТВЕТЫ «О ЗЛЫХ ЖЕНАХ». Вторая половина XIX в.
Неизвестный художник
Чернила, акварель. 44,2×37,6
—
Название: «Премудрейшии философ Аристотель в книге третьей между протчим пишет тако: вопросы, ответы».
Инв. № 39128 И Ш хр 12676
Приобретено у П. С. Кузнецова в 1901 г.
Аналогичная композиция кат. 146
Смысл картинок (кат. 145, 146) раскрывается в тексте, где приводятся высказывания различных авторов (Августина, Аристотеля) о женской злобе, лукавстве и злоязычии. На листах в центре изображены Адам и Ева у древа познания.
QUESTIONS AND ANSWERS ABOUT "CROSS WOMEN". Second half 19th century
Anonymous artist
Ink, water-colour. 44.2×37.6
—

150

Acq. No. 39128 И Ш, 12676
Purchased from P. S. Kuznetsov in 1901
Analogous composition cat. 146
The meaning of the pictures (cat. 145, 146) is explained in the text with numerous quotations by various authors (St. August, Aristotle) about women's anger, slyness and gossip-telling. Adam and Eve are depicted at the Tree of Knowledge in the centre of the sheets.

146. ВОПРОСЫ И ОТВЕТЫ «О ЗЛЫХ ЖЕНАХ». Вторая половина XIX в.
Неизвестный художник
Чернила, темпера. 43×31
—
Инв. № 27929 И Ш хр 12855
Приобретено «на торгу» в 1893 г.
Аналогичная композиция кат. 145
QUESTIONS AND ANSWERS ABOUT "CROSS WOMEN". Second half 19th century
Anonymous artist
Ink, tempera. 43×31
—
Acq. No. 27929 И Ш 12855
Purchased at the auction in 1893
Analogous composition cat. 145

147. ТАБЛИЦА ИСЧИСЛЕНИЯ ПРАЗДНИКОВ, ДНЕЙ, ЧАСОВ, ФАЗ ЛУНЫ и т. д. Середина XIX в.
Неизвестный художник

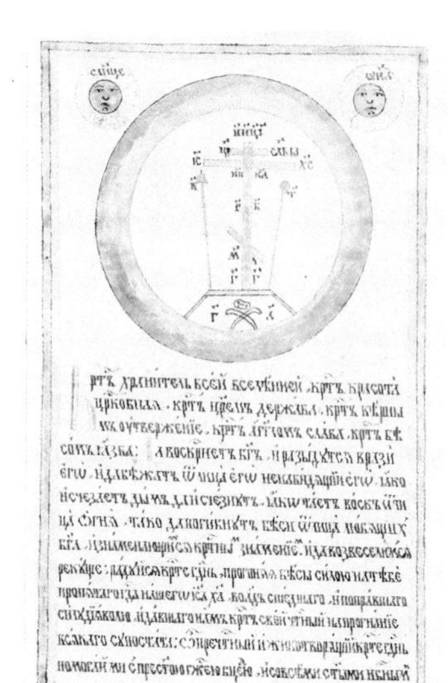

151

Картон, чернила, темпера, белила, золото. 42,7×43,3

—

Инв. № 39089 И Ш 61111

Приобретено «на торгу» в 1901 г.

На таблице помимо «неисходимой пасхалии по ключевым словам», «ключа пасхального» и др. исчислений изображен «чертог прилежного учения», к которому ведут ступени с названиями — любовь, надежда, труд, желание и т. д.

TABLE FOR DETERMINING THE FEASTS, DAYS, HOURS AND PHASES OF THE MOON. Mid-19th century

Anonymous artist

Cartoon, ink, tempera, white, gold. 42.7×43.3

—

Acq. No. И Ш 61111

Purchased at the auction in 1901

The table shows the room of a thorough student and the steps leading to it – love, hope, labour, aspiration, etc.

148. РОДОСЛОВИЕ СОЛОВЕЦКОГО МОНАСТЫРЯ. 1870-е гг.

Неизвестный художник

Чернила, акварель. 76×49,2

Бумага с филигранью J Whatman 1872

Клепиков I, № 1206

Название: «Степень родословия иноческого пострижения». Слева надпись: «Сия иноческая родословная древа написана с древней поморской картины верно».

Инв. № 52789 И Ш хр 12833

Приобретено у А. А. Бахрушина в 1921 г.

Изображено дерево, вырастающее из условно обозначенного Соловецкого монастыря, на ветвях которого написаны имена постриженников.

THE STORY OF THE SOLOVKI MONASTERY. The 1870s

Anonymous artist

Ink, water-colour. 76×49.2

Paper with the J Whatman water-mark. 1872

Klepikov I, No. 1206

Acq. No. 52789 И Ш, 12833

Purchased from A. A. Bakhrushin in 1921

The branches of a symbolic tree personifying the Solovki Monastery carry the names of its monks.

149. ИЗОБРАЖЕНИЕ ХРИСТИАНИНА, КОТОРОГО АНГЕЛ ПРИКРЫВАЕТ ЩИТОМ ОТ СТРЕЛ ДЬЯВОЛА И СОБЛАЗНОВ МИРА. Конец XIX в.

Неизвестный художник

Чернила, акварель. 43,5×35,5

—

Инв. № 45860 И Ш 61056

Приобретено у И. Е. Забелина в 1909 г.

Ангел защищает мужчину от стрелы дьявола, копья мирских соблазнов, которое держит в поднятых руках женщина с обнаженной грудью, и стрелы, посылаемой крылатой фигурой, над которой написано «плоть».

CHRISTIAN BEING SCREENED BY THE ANGEL'S SHIELD FROM THE DEVIL'S ARROWS AND EARTHLY BLESSINGS. Late 19th century

Anonymous artist

Ink, water-colour. 43.5×35.5

—

Acq. No. 45860 И Ш 61056

Purchased from I. Ye. Zabelin in 1909

The angel is defending the man from the devil's arrow, a spear of earthly blessings, which is held by the halfnaked woman, and the arrow sent by a winged creature above whom is an inscription "Flesh".

150. РАСПЯТИЕ С ПРЕДСТОЯЩИМИ. Конец XIX в.

Неизвестный художник

Чернила, темпера. 73×55,6

—

Инв. № 36758 И Ш хр 9125
Приобретено у Парабелова в 1899 г.
У подножия креста стоят царица Елена и царь Константин, по сторонам от них — воин, поражающий дракона, и митрополит. Константин — первый византийский император, официально признавший христианство, и его мать Елена, по преданию, первая нашедшая святой крест во время путешествия в Иерусалим, часто изображались в композициях с распятием.
THE CRUCIFIXION WITH SELECTED SAINTS. Late 19th century
Anonymous artist
Ink, tempera. 73×55.6
—
Acq. No. 36758 И Ш, 9125
Purchased from Parabelov in 1899
Constantine and Helen are standing at the cross. The warrior defeating the dragon, and the Mitropolitan are at their sides. Constantine was the first Byzantine Emperor officially accepting the Christianity, and his mother Helen, as the legend goes, was the first to find the Holy Cross during her journey to Jerusalem and was often depicted in the Crucifixion.

151. ИЗОБРАЖЕНИЕ ВОСЬМИКОНЕЧНОГО КРЕСТА. Вторая половина XIX в.
Неизвестный художник
Чернила, темпера. 35,2×21,9
—
Внизу текст в 14 строк: «Крест хранитель всей вселенной, крест красота... силами, всегда ныне и присно, аминь».
Инв. № 51758 И Ш хр 9079
OCTAGONAL CROSS. Second half, 19th century
Anonymous artist
Ink, tempera. 35.2×21.9
—
Below is the text in 14 lines.
Acq. No. 51758 И Ш хр 9079

152. ЗМИЙ АСПИД. Конец XIX в.
Неизвестный художник
Чернила, темпера, карандаш, вышивка. 63,8×51
—
Название вышито нитками по ткани и наклеено на бумагу: «Змий аспид».
Инв. № 42949 И Ш 61054
Поступило из коллекции А. П. Бахрушина в 1905 г.
VIPER. Late 19th century
Anonymous artist
Ink, tempera, pencil, embroidery. 63.8×51
—
The title is embroidered with threads on the fabric and glued on the paper.
Acq. No. 42949 И Ш 61054
From the collection of A. P. Bakhrushin (1905)

В связи с невозможностью воспроизведения иллюстрации №№ 19, 41, 142 в каталоге отсутствуют.

ПРИНЯТЫЕ СОКРАЩЕНИЯ

БАН	— Библиотека Академии наук СССР. С.-Петербург
ГБЛ	— Государственная библиотека им. В. И. Ленина. Москва
ГИМ	— Государственный Исторический музей. Москва
ГЛМ	— Государственный Литературный музей. Москва
ГМИИ	— Государственный музей изобразительных искусств им. А. С. Пушкина. Москва
ГПБ	— Государственная публичная библиотека им. М. Е. Салтыкова-Щедрина. С.-Петербург
д.	— дело
ил.	— иллюстрация
ИРЛИ	— Институт русской литературы АН СССР (Пушкинский Дом). С.-Петербург
кат.	— каталог
курс.	— курсив
л.	— лист
оп.	— опись
собр.	— собрание
ф.	— фонд
ЦГВИА	— Центральный государственный военно-исторический архив СССР. Москва

По разделу литературы:

Иткина I	— Иткина Е. И. Лубочный лист с изображением соловецкого восстания// Музей. Художественные собрания СССР. № 6.— М., 1985.
Иткина II	— Иткина Е. И. Повесть «Описание лицевое великой осады и разорения монастыря Соловецкого» и ее литературные и изобразительные источники// Труды отдела древнерусской литературы Института русской литературы. Т. XXXVIII.— Л., 1985..
Иткина III	— Иткина Е. И. Райские птицы Сирин и Алконост в древнерусском и народном искусстве: Доклад прочитан на научных чтениях ГИМа в 1988 г. Рукопись хранится в архиве отдела изобразительного искусства ГИМа.
Клепиков I	— Клепиков С. А. Филиграни и штемпели на бумаге русского и иностранного производства XVII—XX вв.— М., 1959.
Клепиков II	— Клепиков С. А. Филиграни на бумаге русского производства XVIII — начала XX века.— М., 1978.
Куликовская битва	— Иткина Е. И., Кучкин В. А. Рукописный настенный лист с изображением Мамаева побоища //Куликовская битва в литературе и искусстве.— М., 1980.
Памятники куликовского цикла	— Иткина Е. И. Памятники куликовского цикла в творчестве художника-миниатюриста И. Г. Блинова/Куликовская битва в истории и культуре нашей Родины.— М., 1983.

Ровинский I — Ровинский Д. А. Русские народные картинки. Т. 1—5.— Спб., 1881.

Ровинский II — Ровинский Д. А. Подробный словарь русских гравированных портретов. Т. 1—4.— Спб., 1886—1889.

Heawood E. — Watermarks mainly of the 17 and 18 centuries by E. Heawood. MCML Hilversum.

Лубок I — Le Loubok. L'imagerie populaire russe 17—19 siecles. Editions d'art Aurora. Leningrad. 1984.

Лубок II — Lubok. Der russische Volksbilderbogen. München. 1985.

Voorn H. — Voorn H. De papiermolens in de provincie de Hoord-Holand. 1960.

На суперобложке и с. 163: Изображение Куликовской битвы.
Вторая половина 1890–х гг. Фрагменты
Художник И. Г. Блинов

На форзаце и нахзаце: Родословное дерево А. и С. Денисовых.
Первая половина XIX в. Фрагмент
Неизвестный художник

На авантитуле: Архангел Михаил, повергающий дракона. 1854
Фрагмент.
Неизвестный художник

На с. 47: Андрей Денисов. Начало XIX в.
Фрагмент.
Неизвестный художник

Елена Игоревна Иткина

Русский рисованный лубок конца XVIII — начала XX века

Из собрания Государственного Исторического музея. Москва

Альбом

Редактор В. П. Шагалова
Художественный редактор В. Д. Демидов
Технический редактор В. В. Горшкова
Корректоры Л. В. Конкина, Л. В. Дорофеева
Корректор английского текста Л. Т. Зинько

ИБ № 6384
Сд. в набор 29.08.91. Подписано в печ. 16.04.92. Формат 80×100/32. Бумага мастермат. Гарнитура «Таймс». Печать офсетная. Уч.-изд. л. 14,82. Усл. кр.-отт. 34,78. Усл. печ. л. 11,84. Тираж 30 000 экз. Заказ 6046. С 42. ИЗО-206.

Издательство «Русская книга» Министерства печати и информации России. 123557, Москва, Б. Тишинский пер., 38.
Ордена Трудового Красного Знамени ПО «Детская книга» Министерства печати и информации России. 127018, Москва, Сущевский вал, 49.